## ATTENTION, LECTEUR, TU V
## NE LIS PAS CE LIVRE DU DÉBUT A LA FIN !

Commence ta lecture à la page 1, puis suis les instructions au bas de chaque page pour faire tes choix. C'est toi qui mènes cette aventure échevelée et qui décides du déroulement des événements, et à quel point ce sera EFFRAYANT !

Tu te retrouves à servir de cobaye pour les expériences maléfiques du docteur Onk ! Derrière les portes closes d'un long couloir, des dizaines d'expériences inquiétantes se déroulent. De péripétie en péripétie, tu rencontreras des chimpanzés ultra-intelligents et tu te perdras dans un sinistre labyrinthe. Une meute de bergers allemands t'attaquera, et tu seras confronté à d'étonnantes réalités virtuelles. Après ta visite dans les laboratoires du docteur Onk, le laboratoire de sciences naturelles de ton école te semblera un lieu de rêve ! À toi de te sortir de ce pétrin !

PRENDS UNE PROFONDE INSPIRATION, CROISE LES DOIGTS ET C'EST PARTI... TU AURAS LA CHAIR DE POULE, C'EST GARANTI !

## DANS LA MÊME COLLECTION :

*La foire aux horreurs*
*Tic Toc, bienvenue en enfer !*
*Le Manoir de la chauve-souris*
*Les terribles expériences du docteur Onk*

Chair de poule[MC]

4

# LES TERRIBLES EXPÉRIENCES DU DOCTEUR ONK

R.L. STINE

Traduit de l'anglais par
MARTINE FAUBERT

**Données de catalogage avant publication (Canada)**

Stine, R.L.

Les terribles expériences du docteur Onk

(Chair de poule extra ; 4)
Traduction de: The Deadly Experiments of Dr. Eeek.
Pour les jeunes de 9 à 12 ans.

ISBN 2-7625-8618-6

I. Faubert, Martine. II. Titre. III. Collection: Stine, R.L. Chair de poule extra ; 4.

PZ23.S85Tera 1997 j813'.54 C97-940074-0



Graphisme et mise en page : Michael MacEachern

Dépôts légaux : 1er trimestre 1997
Bibliothèque nationale du Québec
Bibliothèque nationale du Canada

ISBN : 2-7625-8618-6 Imprimé au Canada

LES ÉDITIONS HÉRITAGE INC.
300, rue Arran, Saint-Lambert (Québec) J4R 1K5
Téléphone : (514) 875-0327
Télécopieur : (514) 672-5448
Courrier électronique : heritage@mlink.net

— Comment as-tu fait pour entrer ? t'entends-tu demander par une voix, au moment où tu pénètres dans la salle d'attente des Laboratoires Onk. Cette porte est censée être toujours fermée à clé.

Ton ami Laurent et toi sursautez. Vous pensiez qu'il n'y avait personne.

Puis, tu aperçois la réceptionniste, qui est assise à son bureau. Elle n'est pas très grande, a les cheveux frisés, de couleur rousse, et son rouge à lèvres déborde ses lèvres minces. Elle te regarde, comme si c'était évident que tu allais t'empresser de repartir, maintenant qu'elle t'a dit que tu t'étais trompé d'endroit.

— Je viens voir ma mère, réponds-tu.

— Qui est-ce ? demande la réceptionniste en se mettant à ranger ses affaires avant de rentrer chez elle.

Tu vérifies l'heure. Il est presque 17 h 30 ; la journée de travail est terminée.

— C'est la nouvelle technicienne en laboratoire, lui expliques-tu. Elle travaille à des expériences ultra-secrètes pour les Laboratoires Onk.

— Vraiment ? Pour le « docteur » Onk ? répond la réceptionniste, l'air de ne pas te croire.

— Oui, il me semble, dis-tu.

En fait, tu n'en es pas tout à fait sûr. Comment se fait-il que ta mère ne t'ait jamais parlé de lui ? Le docteur Onk ? Tout ce qu'elle t'a dit, c'est qu'elle avait commencé à travailler dans un laboratoire de recherches. Mais tu ne savais pas qu'il s'agissait du laboratoire d'un docteur en médecine. Et tu as horreur des docteurs.

---

*Va à la PAGE 2.*

# 2

— Es-tu absolument certain que ta mère travaille pour le docteur Onk ? te demande encore la réceptionniste, l'air d'en douter.

Elle dit cela en levant un sourcil, et tu n'aimes pas ça.

En fait, tout te fait peur dans cet endroit.

Dès l'instant où tu es sorti de l'ascenseur, au dixneuvième étage, tu t'es retrouvé dans un lieu désert. Personne dans le couloir vide. Seul le bruit de l'ascenseur se faisait entendre.

Puis, tu as aperçu la porte des Laboratoires Onk. Ta mère ne t'avait jamais parlé de cette porte. Elle est semblable à celle d'un coffre-fort géant ! Elle est d'une épaisseur d'environ quinze centimètres, toute en acier.

Ton ami Laurent a alors tiré sur une petite poignée qui se trouvait dans le mur, à côté de la porte. À ta grande surprise, la porte s'est aussitôt ouverte.

« Bon, d'accord, t'es-tu dit. La porte est bizarre. Mais ce n'est pas une raison d'avoir peur. »

— Oui, elle travaille ici, réponds-tu à la réceptionniste. En recherche.

— Bien. Tu peux t'asseoir. Je suis sûre que ta mère sera là dans un instant, dit-elle en finissant de mettre ses affaires dans un énorme fourre-tout, avant de quitter la réception.

Tu cherches une chaise pour t'asseoir. Tu trouves enfin des chaises, là-bas, de l'autre côté de la pièce. Elles sont en plastique orangé, toutes enchaînées les unes aux autres !

---

*À la PAGE 3, tu t'assois.*

Tu t'assois sur une des chaises orangées. Mais Laurent ne veut pas s'asseoir. Il se met à marcher de long en large dans la salle d'attente.

— Alors, c'est quoi le film qu'on va voir avec ta mère ? demande-t-il.

— Je sais pas, réponds-tu en haussant les épaules. Mais, oublie pas, Laurent, on a promis à maman de ne pas faire les caves ici.

— D'accord, d'accord, dit-il, l'air de prendre ton avertissement au sérieux.

Il tourne autour du bureau de la réceptionniste. Il prend un verre qui contient un liquide transparent, posé là.

Peut-être que c'est de l'eau, mais...

— Hé ! lui cries-tu, bois pas ça !

Mais avant que tu puisses l'arrêter, il a vidé le verre. Il l'a calé d'un seul coup.

Puis il se retourne vers toi.

— Laurent ! Pas de farce ! Je suis sérieux ! dis-tu en le chicanant. Fais pas le fou ! C'est un laboratoire scientifique !

Il s'apprête à te répondre, quand, soudain, il devient tout blanc. Il avale sa salive, puis ouvre la bouche toute grande. Les veines de son cou se mettent à gonfler. Ensuite, son visage se déforme, comme s'il était en train de se changer en Frankenstein.

Tu es mort de peur. Ton cœur se met à battre à tout rompre.

— Qu'est-ce que tu as bu ? lui demandes-tu.

---

*Passe à la PAGE 4.*

Tu te précipites vers le bureau. Tu saisis le verre que Laurent vient de vider. Et tu le renifles. Il ne sent rien.

Laurent éclate de rire. Puis il te fait un sourire diabolique.

— De l'eau, dit Laurent en montrant le verre du doigt. Rien que de l'eau !

Toi non plus, tu ne peux t'empêcher de rire. Tu aimes bien Laurent. Il est drôle. Mais, même si c'est ton meilleur ami, il lui arrive d'aller un peu trop loin. Il te fait souvent des farces plates.

Laurent jette un regard tout autour. Tu le connais bien et tu es sûr qu'il est en train de chercher un autre mauvais coup à faire.

— On devrait peut-être aller chercher ma mère, suggères-tu.

Tous les moyens sont bons pour empêcher Laurent de faire encore une bêtise.

Ses yeux se mettent à briller.

— Excellente idée, s'écrie-t-il. On pourra peut-être faire nous-mêmes des expériences !

Euh... à bien y penser...

Peut-être que vous devriez tout simplement rester assis là à l'attendre !

---

*Si tu décides que vous restez là à l'attendre, passe à la PAGE 11.*

*Si tu décides que vous devez aller la chercher, passe à la PAGE 6.*

— Ce que je fais ? répète le docteur Onk en se mettant à rire. Tu ne peux pas comprendre mon pauvre enfant.

Laurent tourne la tête vers toi. La peur se lit dans ses yeux.

— Sors-moi d'ici ! te supplie-t-il.

— Ton ami ne peut pas te sauver, dit le docteur Onk à Laurent.

Puis il se dirige vers l'épouvantable machine et se met à en tourner les cadrans. Il y a d'abord une sonnerie, puis un ronronnement.

— Au secours ! crie Laurent. À l'aide !

Puis, le pot de cornichons se met à émettre une lueur.

— Arrêtez ! t'écries-tu en lançant un coup de poing au docteur Onk.

Mais le docteur Onk pare le coup avec son bras. Il est fort... même s'il est vieux.

— Ça suffit ! ordonne ce dernier.

Non, ça ne suffit pas. Tu te rends à la table en courant et tu arraches les fils des pieds de Laurent. Puis tu le prends par le bras.

— Viens-t'en ! Cours ! dis-tu à ton ami.

Le docteur Onk rejette la tête en arrière et se met à rire très fort.

— Ha ! Vous ne sortirez jamais d'ici ! Jamais ! dit-il, menaçant. Toutes les sorties sont fermées à clé. À moins que...

---

*À moins que quoi ? Découvre-le à la PAGE 76.*

— Allons chercher ma mère, dis-tu à Laurent. Mais fais attention, hein, pas de folies. C'est un laboratoire scientifique.

— D'accord, répond Laurent.

Il franchit la porte de la salle d'attente et pénètre dans un long couloir. Tu le suis en courant.

Hum ! Rien d'intéressant dans ce couloir. Rien que des portes fermées sur un fond de mur blanc. Et pas moyen de savoir ce qui se passe derrière.

Tu ouvres la première porte et jettes un coup d'œil à l'intérieur.

Zut ! Ce n'est que la salle de repos. En tout cas, ça en a l'air. Il y a deux vieux canapés bruns, une table, des chaises et toute une série de machines distributrices.

— Tu as de la monnaie ? te demande Laurent. Je meurs de faim.

Tu plonges la main dans ta poche et en retires quelques pièces. Tu en as juste assez pour acheter une seule chose. Tu insères tes pièces dans la fente d'une machine. Tu t'apprêtes à appuyer sur le numéro correspondant à ta tablette de chocolat préférée.

Mais, juste au moment où ton doigt va appuyer sur le bouton, une main te saisit l'épaule !

---

*Retourne-toi lentement à la PAGE 14.*

Tu regardes la chose sous le drap. Ton cœur se met à battre trois fois plus vite.

Qu'est-ce que c'est? Un garçon? Un chien?

Ou quelque chose entre les deux?

— À l'aide! dit-il encore une fois. Aidez-moi! Je m'appelle Gabriel. Le docteur Onk a essayé de me changer en berger allemand, mais ça n'a pas marché. Alors, maintenant, il essaie de me changer de nouveau en enfant.

Tu ne sais pas quoi dire. C'est trop épouvantable... trop cinglé! Comment ta mère peut-elle travailler dans un endroit pareil?

— Je suis attaché avec des sangles, explique le garçon en montrant du menton ses bras couverts de poils de chien. Détache-les pour que je puisse me dégager de là.

— D'accord, dis-tu.

Ton estomac se retourne à la vue de ce corps d'enfant recouvert d'une fourrure de chien.

Tu commences à défaire les sangles. Mais, avant que tu n'aies terminé, tu entends le bruit d'un pas qui approche.

Vite! Il faut que tu trouves un endroit où te cacher!

---

*Si tu décides d'aller te cacher dans le bureau du docteur Onk, de l'autre côté de la pièce, va à la PAGE 129.*

*Si tu décides de te cacher sous la table d'opération, va à la PAGE 74.*

— Oui, on est coincés... dans les laboratoires du docteur Onk, réponds-tu. À moins qu'on arrive à reprogrammer son ordinateur.

— Pas de problème, dit Laurent. J'ai appris à faire ça au camp, l'été dernier.

Hé ! Ce n'est pas pour rien que tu aimes Laurent !

Vous vous tapez tous les deux dans les mains, en signe de joie. Puis vous retournez en courant dans le laboratoire du docteur Onk. Celui-ci est toujours étendu par terre.

Laurent s'installe à la console et se met à taper sur le clavier.

« C'est bizarre ! » te dis-tu. En réalité, Laurent et toi êtes toujours assis dans les fauteuils de cuir noir. Les bras attachés. En train de regarder se dérouler devant vos yeux un jeu de réalité virtuelle.

Mais, dans ce jeu, vous êtes en train de reprogrammer l'ordinateur du docteur Onk... ce qui va vous permettre de vous en sortir !

En quelques minutes Laurent modifie le programme. Maintenant, le jeu englobe tout... le dix-huitième étage, ta mère et même le poste de police. Celui-ci est situé de l'autre côté de la rue, juste en face des Laboratoires Onk.

De nouveau, Laurent et toi vous précipitez dans le couloir. Vous appuyez sur la commande de l'ascenseur. Vous descendez au dix-huitième étage. Vous trouvez là ta mère. Et vous appelez la police.

Puis l'image dans ton casque devient toute blanche !

---

*Va à la PAGE 51.*

— D'accord, d'accord, réponds-tu en criant. Je vais le faire ! Mais débarrassez-moi de cette affaire-là !

Puis tu serres les lèvres. La pâte est montée jusqu'à ta gorge, puis sur ton menton. Et maintenant, elle arrive au bord de tes lèvres.

Tu ne sais plus trop si tu as la gorge serrée à cause de la pâte... ou de la peur.

Tout ce que tu sais, c'est que tu ne peux plus respirer.

Laurent saisit la pâte avec ses doigts et essaie de l'arracher de son cou. Dans un faux mouvement, il s'accroche le nez, et la pâte en profite pour y pénétrer.

— Vite ! cries-tu, les lèvres et les dents bien serrées.

Puis tu fermes les yeux bien fort. Si la pâte réussit à t'étouffer, tu préfères ne pas voir ça !

---

*Cours à la PAGE 24.*

La porte n'est pas sitôt fermée que les chimpanzés arrêtent de jouer et de lire leurs livres. Finie la récréation ! Plusieurs d'entre eux courent vers les fenêtres et tirent les stores.

Oscar décroche un sarrau… et l'enfile !

Il prend quelque chose dans la poche, qu'il garde au creux de sa main. Puis, il marche jusque devant le professeur Yzark et lui tend la main.

Au creux de celle-ci, il y a un petit carré de chocolat.

D'un geste vif, le professeur Yzark le saisit et le met dans sa bouche… comme s'il avait mérité une récompense ! Oscar lui donne de petites tapes sur le dessus de la tête. Puis il montre du doigt un coin reculé de la pièce.

Hé ! Tu ne l'avais pas remarqué !

Le mur est complètement caché par de grandes cages !

— Onk ! Onk ! s'écrie Oscar en faisant le même cri qu'auparavant.

Le professeur Yzark se rend docilement jusqu'à une cage. Il s'accroupit à l'intérieur, se couche, puis se roule en boule pour faire une petite sieste.

— Oh, oh ! dit Laurent en te prenant le bras. Regarde !

---

*Va à la PAGE 45.*

— Arrête de faire le fou, dis-tu à Laurent. On attend ma mère.

Tu t'assois sur l'une des chaises en plastique orangé de la salle d'attente. Laurent s'écrase sur une autre.

— Arrête de me niaiser, dit-il. Je pensais que ta mère devait nous emmener au cinéma.

— C'est vrai, le rassures-tu. Dès qu'elle aura terminé son travail.

Mais tu jettes un coup d'œil à ta montre et tu te dis : « Oh, oh ! Elle est encore en retard. » C'est arrivé plusieurs fois, ces derniers temps. Tu vois d'ailleurs rarement ta mère depuis qu'elle travaille aux Laboratoires Onk. Elle y passe de plus en plus de temps. Quand tu t'en es plaint à elle, ce matin, elle s'est excusée et t'a serré dans ses bras. Elle t'a alors proposé de sortir ce soir, au restaurant, puis au cinéma.

— Tu peux emmener Laurent, a-t-elle dit.

Tu jettes encore un coup d'œil à ta montre. Il est presque 18 h. Où est-elle donc ?

Soudain, la porte s'ouvre. Une petite femme vêtue d'un sarrau pénètre dans la salle d'attente. Elle vous regarde, Laurent et toi. Puis elle vous fait signe de la suivre.

— Désolée. Nous sommes en retard, dit la dame. Je suis Linda. Venez avec moi.

---

*Passe à la PAGE 12.*

— Vous êtes venus pour l'expérience de Rasta, n'est-ce pas ? demande Linda. Le salaire est de cinquante dollars en argent comptant. Vous le recevrez tout de suite après l'expérience. Et celle-ci dure environ vingt minutes. Allons-y.

Tu jettes un coup d'œil du côté de Laurent. Cinquante dollars ?

Mais de quelle expérience s'agit-il donc ?

---

*Si tu choisis de suivre Linda, passe à la PAGE 20.*

*Si tu décides de ne pas prendre de risque et de ne pas participer à l'expérience de Rasta, passe à la PAGE 63.*

Tu veux crier, mais tu demeures muet.

La main du chimpanzé se rapproche de ta gorge... pour t'étrangler. Mais sa main passe tout droit... et il appuie sur un bouton de la machine. Le A-6.

— Hé! crie Laurent. C'est pas cette tablette de chocolat que mon ami veut!

— Du calme, réponds-tu en souriant au drôle de singe. Mais, est-ce que c'est permis de donner une tablette de chocolat à manger à un chimpanzé?

Sans attendre que tu tranches la question, Laurent appuie sur le bouton A-6. Une tablette de chocolat aux arachides tombe dans la fente de la distributrice. Aussitôt, Laurent sort la tablette de son papier d'emballage et la tend au chimpanzé.

D'un puissant mouvement de mâchoires, il y plante ses énormes dents. Il n'en fait que deux bouchées... et te donne de petites tapes sur la tête.

Puis il te fait signe de le suivre.

— Bon! On va aller voir ce qu'il nous veut! dit Laurent.

— Je ne sais pas si on devrait, réponds-tu. Je croyais que nous devions aller chercher ma mère. On devrait peut-être retourner dans la salle d'attente.

— Et ton goût de l'aventure? réplique Laurent en levant les yeux au ciel.

Eh bien? Qu'as-tu donc fait de ton sens de l'aventure?

---

*Si tu choisis de suivre le chimpanzé, va à la PAGE 101.*

*Si tu choisis de retourner dans la salle d'attente, va à la PAGE 42.*

— Oh ! cries-tu en te retournant.

C'est un grand chimpanzé tout poilu !

Laurent et toi avez peur. Ce chimpanzé vous a surpris dans la salle de repos. D'où vient-il ? Est-il doux ? Ou dangereux ? Vous n'avez aucune idée de ce qu'il veut faire.

Et il est plus grand qu'un chimpanzé normal.

En fait, il est au moins aussi grand que vous. « Plutôt de la taille d'un gorille », te dis-tu en toi-même. Et tu avales ta salive.

— Je n'ai jamais vu un chimpanzé pareil, chuchotes-tu à l'oreille de Laurent.

— Moi non plus, chuchote-t-il à son tour.

Le chimpanzé penche la tête en vous dévisageant. On dirait qu'il ne cligne jamais des yeux.

Puis, lentement, il approche son autre main toute poilue… de ta gorge !

---

*Reviens à la PAGE 13.*

15

— Euh ! qu'est-ce que je peux faire pour toi ? demandes-tu au jeune homme en ouvrant la porte.

— Le chimpanzé, dit-il en grognant sourdement. Il est ici ?

Avant que tu aies le temps d'ouvrir la bouche, Oscar se précipite à ta droite. Il se jette dans les bras du jeune homme. Il lui joue dans les cheveux et lui tapote les joues. Puis, ils se mettent à pousser des cris de chimpanzé... comme s'ils se reconnaissaient tous les deux !

— Merci, dit le jeune homme en te souriant.

Puis, il saute par-dessus la rampe du perron en emportant Oscar dans ses bras. Il s'installe dans sa voiture et s'en va.

— Attendez ! cries-tu en courant les poursuivant.

Est-ce que c'est l'envoyé du professeur ? Oui ? Non ?

Puis tu vois la plaque de la voiture du jeune homme. C'est une fausse plaque... le genre de plaque où on inscrit le nom de sa femme, ou ce qu'on veut.

Tu fixes la plaque des yeux, la bouche grande ouverte à la vue des lettres noires.

Personne ne voudra te croire, c'est certain. Surtout quand tu vas leur dire que le chimpanzé a été emmené par un jeune homme bronzé, à moitié habillé, qui grognait et qui conduisait une voiture avec une plaque sur laquelle était inscrit le nom de TARZAN.

Oh non ! Personne.

Tu peux en être sûr. Impossible.

Vraiment ?

**FIN**

Le docteur Onk te tient solidement par le poignet droit. Tu lui balances un coup du gauche. Mais tu le manques.

Tu lui donnes un coup de pied et te mets à crier.

— Laurent ! Laurent ! cries-tu.

Le docteur Onk te pousse dans le couloir avant que Laurent arrive à ton secours. Puis tout le long du couloir. Puis encore dans un autre laboratoire.

Mais, combien y a-t-il de pièces dans cet endroit, finalement ?

Des dizaines !

Celle où tu te trouves est couverte de miroirs... il y en a sur les murs, sur le plancher et au plafond. Il y a un gros interrupteur rouge derrière la porte.

Tout en te tenant toujours par le poignet, le docteur Onk actionne l'interrupteur.

Tu entends un grésillement. Puis un craquement. Puis, il y a un éclair si intense, si lumineux, que tu penses que tu en resteras aveugle pour le restant de tes jours. C'est aussi fort que la lumière d'un énorme flash sur un gigantesque appareil photo.

Puis il n'y a plus de lumière. Mais tu demeures aveuglé pendant plusieurs minutes. Finalement, ta vue revient à la normale. Tu regardes dans un miroir.

Hé !... Qu'est-ce que c'est que ça ? Tout ce que tu vois, ce sont des centaines d'images du docteur Onk. Du docteur Onk... tenant le poignet du docteur Onk !

Comment ça ? Il me semble que c'est ton poignet à toi qu'il tenait ?

---

*À la PAGE 50, tu essaies de comprendre ce qui se passe.*

Tu toussotes pour t'éclaircir la voix.

— Heu ! En fait, je dois partir, dis-tu au docteur Onk. Je dois aller rejoindre ma mère.

— Moi, je reste ici, déclare Laurent.

— Comme vous voudrez, répond le docteur Onk en haussant les épaules. Je m'en vais. Au plaisir de vous revoir !

Tu tournes les yeux vers Laurent, puis te diriges vers la porte. Mais il ne te suit pas.

Tu sors dans le couloir, tout seul.

Tu te diriges vers la réception. C'est alors que tu entends une voix qui crie :

— Au secours ! À l'aide !

Tu restes figé. Est-ce que c'était Laurent ? Est-ce que le cri venait de quelque part dans ton dos ? Ou était-ce devant toi ? Tu n'arrives pas à le savoir.

Quelques secondes plus tard, le même cri se fait entendre.

---

*Si tu décides de revenir sur tes pas et de retrouver Laurent, cours à la PAGE 81.*

*Si tu penses que c'est quelqu'un d'autre qui a des problèmes, va vite à la PAGE 99.*

Tu tournes vite à gauche. Et découvres six bergers allemands qui courent vers toi, dans le labyrinthe des chiens. Il y en a trois qui arrivent sur toi, d'un côté. Et trois de l'autre. Tu es prisonnier!

Leurs dents pointues comme la pointe d'un poignard baignent dans la bave. Deux d'entre eux ont même de l'écume à la gueule. Un autre a la face couverte de sang séché.

Comme s'il avait mangé de la viande crue... ou quelque chose comme ça, un peu plus tôt.

«Il ne faut pas hurler», te dis-tu. Ne pas montrer que tu as peur. Et, surtout, ne pas te mettre à courir.

Mais qu'est-ce que tu peux faire?

Il n'y a qu'un moyen de faire obéir ces chiens... avec un sifflet argenté.

Mais en as-tu un?

---

*Si tu as déjà rencontré la créature mi-garçon, mi-chien et qu'elle t'a donné un sifflet argenté, va à la PAGE 127.*

*Sinon, va à la page 110.*

Tout d'un coup, les gicleurs se mettent à fonctionner. Et l'eau gicle partout. Tout partout.

Le jet d'eau est si fort qu'il réussit presque à t'assommer. Tu perds l'équilibre. Ton pied glisse et tu tombes de la chaise.

GLOU GLOU ! Tu as la bouche remplie d'eau. En quelques secondes, non seulement es-tu complètement trempé, mais tu risques aussi de te noyer !

« Qu'est-ce qui se passe ? » te dis-tu en toi-même en recrachant l'eau que tu as avalée. Tu te remets sur pied et regarde tout autour dans le bureau.

« Oh non ! te dis-tu, l'eau coule en si grande quantité que la pièce est en train de se remplir ! »

En quelques minutes, tu en as jusqu'aux chevilles... et ça continue de monter.

Tu n'en reviens pas que l'eau coule en telle quantité. Ça ressemble davantage aux chutes Niagara qu'au jet d'un gicleur !

Tu ravales ta salive... et, soudain, tu comprends. C'est encore un piège du docteur Onk !

La pièce semble être complètement étanche. Et l'eau monte.

Et monte encore.

Tu en as maintenant jusqu'aux genoux...

---

*Ferme la bouche et pince-toi le nez pour te rendre à la PAGE 79.*

— Cinquante dollars ? s'exclame Laurent, les yeux brillant d'envie.

— Super ! dis-tu en souriant. Qu'est-ce qu'on doit faire ?

— Le docteur Onk vous expliquera ça, répond Linda sur un ton plein de mystère. Suivez-moi.

Vous la suivez dans un long couloir vide... complètement sinistre. Toutes les portes, des deux côtés, sont fermées. Linda, qui ouvre la marche, martèle les carreaux du plancher avec ses talons hauts.

Où vous emmène-t-elle donc ?

Enfin, elle s'arrête devant une porte ornée de trois serrures. Il y a un interphone sur le mur, à côté de la porte. Elle appuie sur un bouton.

— Oui ? dit une voix d'homme à travers le grésillement de l'appareil.

— Nous voilà, lui répond Linda.

Pourquoi se comporte-t-elle comme s'ils savaient que vous viendriez ?

Clic ! Tu entends le bruit d'une serrure électronique qui s'ouvre. Puis une autre. Et une troisième. La porte s'ouvre. Tu jettes un coup d'œil dans la pièce. Il y fait noir comme dans un four.

— Entrez, vous invite une voix du fond de la noirceur.

---

*Découvre ce qui vous attend à la PAGE 32.*

Tu assimiles ce qu'il vient de dire et tu as l'impression de sombrer.

Tu es au mauvais étage. Le laboratoire de ta mère est situé un étage plus bas !

— Je te donne une dernière chance, dit le docteur Onk, pendant que la pâte molle recommence à monter vers ton visage. Une seule chance ; tu choisis entre te sauver... ou trouver l'antidote.

L'antidote ? Ça veut dire qu'il y a un moyen d'annuler les effets de la pâte molle ? D'empêcher ce truc de t'étouffer complètement ?

— Plus que vingt secondes, déclare le docteur Onk.

Puis, il ferme les yeux et se met à compter.

— Un, deux, trois...

Et il compte pas mal vite.

---

*Si tu décides de fouiller le laboratoire, à la recherche de l'antidote, va vite à la PAGE 128.*

*Si tu décides de gagner du temps en barbouillant le vrai visage du docteur Onk avec de la pâte molle, va à la PAGE 73.*

Tu décides de regarder sous le drap. Pourquoi pas ? Ça ne peut pas faire de mal, n'est-ce pas ?

En tremblant de peur, tu t'approches de la table d'opération. La sueur perle sur ton front.

Mais tu dois le faire. Tu dois soulever ce drap.

Lentement, tu en soulèves juste un coin. Tu jettes un coup d'œil dessous. Près de la tête. Du moins, tu espères que c'est la tête. Le soulier de course est à l'autre bout, après tout.

Puis tu soulèves le drap encore un peu plus.

Puis encore plus.

— Non ! t'écries-tu quand tu vois ce que le drap souillé cachait.

— À l'aide ! crie un garçon qui a à peu près ton âge.

Du moins, tu penses que c'est un garçon.

Mais tu ne peux pas vraiment l'affirmer... parce qu'il a la moitié du corps recouvert de fourrure !

---

*Reviens à la PAGE 7.*

— Des chiens ? dis-tu. Mais, je croyais que...

— Qu'est-ce que tu croyais ? te demande le docteur Onk d'un ton glacial.

— Je, euh... c'est-à-dire que je croyais que c'était un labyrinthe que vous utilisiez pour les chiens, réponds-tu. Pour les dresser ou quelque chose comme ça. J'avais bien compris que nous devions essayer de le traverser. Mais je ne pensais pas que les chiens seraient là en même temps que nous !

— Tu n'avais qu'à y penser avant, répond le docteur Onk sèchement. Eh bien, tant pis pour toi.

Il croise les bras et te fixe des yeux.

Cette discussion est visiblement terminée.

— Bon, marmonne Laurent. Viens-t'en. On n'a plus rien à faire ici. Plus vite on va commencer à parcourir ce labyrinthe, plus vite on va arriver à en sortir.

« Laurent a raison », te dis-tu. Sauf que tu n'arrêtes pas de te répéter dans la tête ce que le docteur Onk a dit.

« Attention aux chiens. Attention aux chiens. Attention aux chiens. »

Tu t'engages dans le labyrinthe. Il y a une drôle d'odeur qui flotte dans l'air. On dirait une odeur de chien. Ça te donne le frisson dans le dos.

---

*À la PAGE 31, engage-toi dans le labyrinthe.*

À l'instant même, tu entends un bourdonnement.

Tu ouvres les yeux. Le docteur Onk tient dans sa main une espèce de baguette électronique. Elle mesure environ vingt centimètres de long et cinq centimètres de diamètre. À peu près la taille d'un tournevis électrique.

Il fend l'air avec la baguette, juste au-dessus de la pâte molle, sans toucher celle-ci. Aussitôt, la pâte molle se met à décoller de ta peau et à tomber de tes bras, de tes mains et de ton visage.

« Ouf ! Il était temps », te dis-tu.

Tu voudrais ouvrir d'un coup sec la porte du laboratoire et te sauver en courant. Mais tu dois encore attendre que Laurent soit libéré.

Le docteur Onk fait passer sa baguette au-dessus de Laurent. Au bout de quelques secondes seulement, la pâte molle est complètement décollée de son corps.

Elle fait maintenant une espèce de flaque sur le plancher du laboratoire.

Le docteur Onk ramasse la substance dans ses mains. Il la pétrit pour former une grosse boule collante, de la grosseur d'un ballon de basket-ball.

— Comment avez-vous fait ? demande Laurent en voyant que la pâte molle ne colle pas aux mains du docteur Onk.

— Peu importe, répond le docteur Onk. Venez avec moi.

---

*Suis-le à la PAGE 28.*

— D'accord, réponds-tu, prêt à obéir. On y va. Qu'est-ce qu'on doit faire ?

Le docteur Onk fait un petit sourire. Puis il vous fait signe de le suivre.

— Par ici, vous ordonne-t-il.

Il vous conduit dans un long couloir bordé de portes de chaque côté. Sans avertir, il s'arrête brusquement devant une porte peinte en vert.

— Qu'est-ce qu'il y a derrière cette porte-là ? chuchotes-tu à Laurent.

— Je ne sais pas, répond Laurent. On procède probablement à une expérience scientifique.

« Oui. Sans doute », te dis-tu.

Puis le docteur Onk ouvre la porte.

*Va à la PAGE 56.*

D'accord.

Parlons clairement. Tu veux finasser pour te sortir de ce pétrin. Ce qui veut dire que tu veux avoir une autre occasion d'être confronté au visage déformé et à l'esprit tordu du docteur Onk.

On est bien d'accord ?

D'accord.

C'est de bonne guerre.

Alors, tu dois remplir l'une des conditions suivantes :

1) au cours des cinq prochaines minutes, tu ne dois pas tomber sur le mot **FIN**, sinon tu vas faire une crise d'urticaire ;

2) tu connais la différence de signification entre *effrayant*, *épouvantable* et *terrifiant*, et tu sais orthographier ces trois mots correctement ;

3) toi et tes amis avez lu tous les CHAIR DE POULE publiés jusqu'à ce jour, et vous n'en avez jamais fait de cauchemars.

---

*Si, en toute honnêteté, tu remplis l'une de ces trois conditions... bravo ! Tu as le droit de reprendre le jeu... et de prendre une meilleure décision... à la PAGE 17. Un indice : aide Laurent, cette fois-ci.*

*Sinon, va à la PAGE 104.*

— Lâche-moi! cries-tu à la pieuvre.

Tu attrapes un harpon qui est accroché à côté du grand bassin. Tu piques la pieuvre. Le gros tentacule gris foncé te lâche. Puis, tu vises à l'intérieur du bassin et transperces le tentacule qui enserre le cou de Laurent.

Un liquide noir comme de l'encre se met à se répandre dans l'eau. Pendant quelques instants, tu ne vois plus rien.

Puis, tout d'un coup, Laurent apparaît à la surface de l'eau.

— Merci! te crie-t-il.

Tu lui tends la main pour l'aider à sortir de là.

Vous vous faites sécher avec des serviettes qui ont l'air d'avoir été mises là exprès pour vous. Puis Laurent va jeter un coup d'œil dans un placard, à la recherche de vêtements de rechange. C'est alors que le docteur Onk entre dans la pièce.

Hé!... on n'était pas dans la réalité virtuelle? Alors qu'est-ce qu'il fait là, celui-là?

— Bon, bon, bon, dit le docteur Onk. Comment vous en tirez-vous, les gars? Vous aimez ça nager?

Oh non! Soudain, tu comprends. C'est ici que tu dois vaincre le docteur Onk... au jeu de réalité virtuelle! Sur son propre terrain!

Tu essaies de te sauver en l'évitant. Mais il t'attrape par le poignet. Par le poignet droit, en plus. Et toi qui voulais lui donner un bon coup de poing!

Maintenant, qu'est-ce que tu vas faire?

---

*Si tu es droitier, reviens à la PAGE16.*
*Si tu es gaucher, va à la PAGE 88.*

Le docteur Onk te conduit dans une pièce voisine. Il y a deux gros fauteuils en cuir noir avec des appuie-tête rembourrés, qui sont posés côte à côte. Ils ressemblent à des fauteuils de cabine de pilotage. Ils sont là, plantés tout seuls devant un miroir sans tain, au beau milieu de la pièce qui est toute vide et plongée dans le noir.

Puis tu remarques quelque chose. Les fauteuils sont tous les deux équipés d'un casque, posé sur le siège. Semblable à celui qui va avec le jeu de réalité virtuelle de Laurent.

— Assoyez-vous, ordonne le docteur Onk en pointant du doigt l'un des fauteuils.

Il veut manifestement que tu t'assoies dans le fauteuil de droite. Il indique à Laurent le fauteuil de gauche.

— Et mettez les casques, dit-il encore.

Au moment de t'asseoir, tu remarques encore quelque chose.

Des sangles. Sur les bras des fauteuils.

On dirait bien qu'il a l'intention de vous attacher!

---

*Si tu décides de t'asseoir et de mettre le casque, va à la PAGE 35.*

*Si tu préfères déguerpir... VITE!... va à la PAGE 113.*

Laurent et toi parcourez le couloir en courant, jusqu'au laboratoire des chiens.

Par chance, le docteur Onk n'est nulle part dans les parages.

Puis, tu aperçois quelque chose qui te fait bondir le cœur dans la poitrine. C'est l'autre chaussure de ta mère! Elle est là, par terre, servant de coin pour tenir entrebâillée une autre porte. En face de la salle d'opération.

En grosses lettres noires, tu peux lire sur une affiche posée sur la porte: LABYRINTHE DES CHIENS. Tu ramasses la chaussure et pousses la porte.

Aussitôt, les grognements et les jappements des chiens t'assourdissent complètement.

— Bizarre! dit Laurent en jetant un coup d'œil dans le couloir du labyrinthe des chiens.

Droit devant, tu aperçois un couloir plein de tournants. Beaucoup plus étroit qu'un couloir normal.

Puis tu la vois. Ta mère!

Elle est tout au fond du couloir étroit... coincée par cinq bergers allemands enragés!

Ils la clouent à un mur.

Et ils s'apprêtent à la tuer!

Vite! Fais quelque chose, avant que les chiens n'en fassent qu'une bouchée!

---

*Cours le plus vite que tu peux à la PAGE 59.*

— Il faut bien qu'il y ait une sortie, non? s'écrie Laurent.

— Je sais pas. J'essaie de me rappeler ce que le docteur Onk a dit. Peut-être que c'est un labyrinthe qui tourne en rond... sans fin? dis-tu en riant nerveusement. Et on va mourir de faim. Ou manquer d'oxygène. Peut-être que la seule issue, c'est cette porte, celle qu'il vient tout juste de fermer à clé.

Pendant quelques minutes, Laurent et toi ne dites plus un mot. Mais, tous les deux, vous vous mettez à transpirer. Le pire, c'est le silence total qui règne dans le labyrinthe. Il n'y a même pas d'écho. Le seul son qui se fait entendre, c'est le bruit de tes souliers de course, et celui des bottes de randonnée de Laurent, sur le carrelage.

Et cette odeur. L'odeur de chien. De plus en plus forte.

Très forte!

Puis, tout à coup, tu arrives à une bifurcation. Il faut choisir.

Il y a un couloir qui va vers la gauche et un autre, tout droit.

Tu regardes à gauche. Tu ne vois qu'un petit bout de couloir, puis un tournant.

Devant toi, l'autre couloir va tout droit, sans tournant, pendant très, très longtemps.

Quel chemin dois-tu prendre?

---

*Pour aller à gauche, reviens à la PAGE 18.*
*Pour aller tout droit, va à la PAGE 130.*

Tu avances encore de quelques pas... dans le labyrinthe.

BANG!

La porte du labyrinthe vient juste de se refermer brusquement dans ton dos. Maintenant, tu es vraiment prisonnier.

— De quel côté on va? demande Laurent.

— Fais pas le niaiseux, lui réponds-tu vivement. C'est trop tôt pour bifurquer. On va continuer tout droit.

Tu continues à avancer. Il y a déjà eu cinq tournants dans le couloir. À gauche. À droite. À droite. À gauche. Puis encore à gauche, en biais. Mais tu n'as pas encore perdu le sens de l'orientation. Tu pourrais très bien rebrousser chemin et revenir jusqu'à la porte.

Mais ton cœur bat très fort dans ta poitrine. Tu te sens comme un animal pris au piège. Rien que de penser que c'est un labyrinthe... Qu'il n'y a qu'une porte de sortie...

Tu comprends soudain.

— Hé! cries-tu pour attirer l'attention de Laurent.

Tu as de la difficulté à avaler ta salive. Tu as la voix plus haut perchée que d'habitude. Tu espères que Laurent ne se rendra pas compte à quel point tu as peur.

— Est-ce que le docteur a parlé d'une issue, à ce labyrinthe? lui demandes-tu.

---

*Va voir à la PAGE 30.*

Vous entrez dans la pièce plongée dans la noirceur. Une lumière s'allume.

— Bon, bon, bon. Qu'est-ce qui nous arrive comme ça ? dit un vieil homme vêtu d'un sarrau.

Il a les cheveux gris et le visage bouffi et tout ridé.

— Ce sont nos deux prochains sujets, explique Linda en repoussant une mèche de ses longs cheveux bruns derrière ses oreilles. Ils sont venus pour l'expérience de Rasta.

— Vraiment ? dit l'homme en s'avançant jusque sous ton nez et en te regardant droit dans les yeux.

Tu essaies d'éviter son regard. Cet homme a quelque chose de bizarre. C'est un de ses yeux qui est bizarre. On dirait que la peau de sa joue droite a été repoussée vers son œil et comme agrafée là. Ça le fait loucher un peu.

Puis tu remarques autre chose. Son sarrau est boutonné dans le dos.

— Je suis le docteur Onk. Êtes-vous certains d'être venus pour l'expérience de Rasta ? demande-t-il.

— Oui... exactement, répond Laurent avec assurance. Qu'est-ce qu'on doit faire ?

— Ça dépend, répond le docteur Onk en riant de façon diabolique. Qu'est-ce que vous êtes prêts à faire ?

---

*À la PAGE 64, tu décides ce que tu es prêt à faire.*

Tu te regardes encore une fois dans le panneau chromé de l'ascenseur.

La pâte molle t'a recouvert le nez, les yeux, les cheveux... et est redescendue à l'arrière de ta tête. Maintenant, elle recouvre toute la moitié supérieure de ton corps.

De la taille jusqu'à la racine des cheveux, tu es tout vert et collant. Tu ressembles à une créature imaginaire d'un mauvais film de science-fiction. Mais le bas de ton corps est encore celui d'un enfant normal.

Par chance, tu n'es pas étouffé par la pâte molle. Tu peux respirer au travers et tu peux voir, aussi. Mais tu vois tout en vert.

L'ascenseur arrive à l'étage suivant, puis la porte s'ouvre. Et c'est ta mère qui entre dans l'ascenseur!

« Maman! Allo! » essaies-tu de lui dire.

Mais aucun son ne sort de ta bouche.

— Ahhhhh! hurle-t-elle en vous voyant, Laurent et toi. Des extraterrestres!

Et elle prétend être une scientifique?

Bon. Ça va mal! Si ta propre mère te prend pour un extraterrestre, qu'est-ce que tu penses que va faire l'escouade militaire spécialisée dans la lutte contre les extraterrestres?

Tu as deviné! Maintenant, tu as intérêt à apprendre ce que signifie « *Wrxt rinp* », c'est-à-dire, en martien...

**FIN.**

Tu décides de te cacher dans le bureau du docteur Onk. Tu t'y précipites, claques la porte et la fermes à clé.

Tu t'accroupis, de manière à ne pas être vu de la fenêtre qui donne sur la salle d'opération. C'est terrible, la sensation de se faire pourchasser. Ton cœur bat à cent kilomètres à l'heure.

CLIC, CLAC !

Quelqu'un s'en vient. Tu peux entendre le bruit de ses pas qui se rapprochent. De plus en plus près.

Il est dans la salle d'opération, maintenant. Tu l'entends se frapper contre la table d'opération sur laquelle est étendue la créature mi-chien, mi-enfant.

BING, BANG, BOUM ! Le matériel chirurgical tombe par terre.

— Que je suis maladroit ! dit le docteur Onk. Excuse-moi, Gabriel. J'espère que je ne t'ai pas fait mal à la main... euh... à la patte.

Ton cœur bat encore plus fort. Et si le docteur Onk s'en venait dans son bureau?

---

*Va à la PAGE 57.*

Laurent et toi êtes maintenant assis dans les fauteuils en cuir. Le docteur Onk installe les écouteurs sur vos oreilles et vous attache chacun à votre fauteuil. La visière du casque te couvre les yeux. Il fait noir.

Puis tu entends le pas du docteur Onk. Il se dirige vers une console. Il presse une touche sur un clavier. Aussitôt, ton casque se met à vivre, dirait-on.

— Super! t'écries-tu en observant les images qui se présentent à tes yeux, à l'intérieur du casque.

Dans ce casque, tu peux voir une scène de réalité virtuelle qui est si réaliste qu'elle semble encore plus parfaite que la réalité elle-même! Tu es assis, attaché à un fauteuil, et pourtant, tu as l'impression de vraiment participer à la scène.

Où est-ce donc?

À Hawaii... ou dans une autre île des mers du Sud. Tu te vois en train de marcher le long d'une falaise rocheuse bordant une lagune. Les palmiers se balancent dans le vent, tout autour. Il y a des oiseaux tropicaux tout partout. L'air est doux et chaud. L'eau est d'une belle couleur turquoise. Tu te demandes quel effet ça ferait de sauter dans cette belle eau limpide... du haut d'une falaise de vingt mètres.

Oh, oh! Attention... c'est ton esprit qui dirige ce jeu! Aussitôt, tu sens que tu te mets à tomber... tomber... tomber...

— Aaaaaah! t'écries-tu de toutes tes forces.

Tu vas te fracasser le crâne contre les rochers au pied de la falaise!

---

*Va à la PAGE 43.*

— Je ne lui ai rien fait du tout, répond le docteur Onk. Mais, vois-tu, tu as commis une grosse erreur. Ta mère ne travaille pas ici, aux Laboratoires Onk. Elle travaille aux Laboratoires ONG, dans cet immeuble, mais à un autre étage. Alors, si tu veux la revoir un jour, tu dois sortir d'ici, poursuit-il en te faisant un petit sourire méchant. Et j'ai bien peur que tu n'y arrives pas. À moins que...

---

*À moins que quoi ? Découvre-le à la PAGE 76.*

Aider le docteur Onk pour l'expérience de Rasta?

— Pas question, vieux débile! lances-tu au docteur Onk. Vous n'allez pas pratiquer vos expériences sur nous!

Tu fais alors un mouvement vers lui en tendant tes mains toutes gluantes. Tu essaies de le barbouiller avec la pâte.

Ça lui colle aux mains... mais ça n'a pas l'air de le déranger.

— Ha, ha, ha! s'esclaffe le docteur Onk en rejetant la tête en arrière et en s'étouffant de rire.

«Qu'est-ce qu'il y a de si drôle?» te demandes-tu.

Toi, tu ne ris pas. La pâte verte et molle pénètre maintenant dans ton nez. Tu jettes un regard du côté de Laurent. Il a l'air complètement en transe. La pâte lui recouvre la bouche.

Vous ne pouvez plus respirer, ni l'un ni l'autre!

---

*À la PAGE 44, découvre ce qu'il y a de si drôle.*

Tu te rends compte immédiatement que tu es dans une salle d'opération.

Il y a des murs couverts de carreaux de céramique, des armoires métalliques, un évier en acier inoxydable. Des moniteurs cardiaques. Et des tiroirs pleins de gants de caoutchouc. Des lampes chirurgicales au-dessus d'une table d'opération en acier inoxydable. Quelque chose qui fait des bosses sous un drap souillé.

Comment ça quelque chose qui fait des bosses sous un drap souillé?

---

*Va vite à la PAGE 47.*

« Du calme », te dis-tu intérieurement. Mais tu n'arrives pas à te calmer. Le sang circule dans tes veines à cent kilomètres à l'heure.

Tout ce que tu as dans la tête c'est : « La ligne est coupée ! Ce doit être le docteur Onk ! » Et tu n'arriveras jamais à sortir d'ici... à moins de trouver un autre moyen. Vite.

Puis tu te souviens de Laurent. Toujours attaché dans son fauteuil en cuir noir. Prisonnier d'une horrible scène de réalité virtuelle.

Et hurlant de peur !

Soudain, tu lèves les yeux au plafond et remarques une série de gicleurs d'incendie. De ceux qui se mettent à tourner comme un moulinet, s'il y a un incendie. Hé ! Peut-être que tu pourrais trouver le moyen de déclencher ces gicleurs... ce qui amènera les pompiers dans le laboratoire !

Par contre, ça pourrait prendre du temps. Et s'il y a une chose dont tu ne disposes pas, c'est de temps.

Peut-être devrais-tu retourner dans le laboratoire où Laurent est prisonnier. Et essayer de le sauver toi-même. Dans le jeu de réalité virtuelle.

Qu'en penses-tu ?

---

*Si tu décides d'actionner le système de gicleurs, va à la PAGE 114.*

*Si tu retournes en courant dans le laboratoire aux fauteuils en cuir noir, assois-toi à la PAGE 105.*

Tu ferais peut-être mieux de t'étendre, penses-tu. Tu as les genoux si faibles que tu as du mal à tenir debout. Tu regardes autour, à la recherche de quelque chose pour t'asseoir. Mais il n'y a rien.

— Bon ! dis-tu en t'étendant là, sur le plancher de la salle d'opération du docteur Onk.

Puis, tu sens tes yeux qui se ferment. Soudain, tu te sens très fatigué. Il faut absolument que tu dormes un peu. Et peut-être que...

ZZZZZZZ ! Ton cerveau a décroché. Et tu ronfles.

Quelques heures plus tard, tu ouvres les yeux.

— Maman ! t'écries-tu en te redressant dans ton lit.

Dans ton lit ?

Non. Ce n'est pas vrai. Et pourtant, oui ! Tu vois bien que tu es à la maison, dans ton lit !

Tu refermes les yeux et les ouvres de nouveau. Puis encore une fois. Comment as-tu fait pour te retrouver ici ?

— Eh bien ! Tu as dû faire un rêve terrible, te dit ta mère. Tu as parlé tout haut et tu as gémi toute la nuit, durant ton sommeil.

Ça veut dire que tout ça, ce n'était qu'un rêve ? Que rien de tout ça n'est jamais vraiment arrivé ?

— Bon. Pourquoi tu ne viendrais pas visiter mon nouveau laboratoire, aujourd'hui ? poursuit ta mère. Viens après l'école. Je vais te faire faire le tour du propriétaire. Ensuite, on ira manger au restaurant et voir un film au cinéma. Invite Laurent.

Oh, oh ! Ça recommence !

**FIN**

Le docteur Onk t'emmène dans un long couloir tout blanc. Il y a des portes des deux côtés. Elles sont toutes fermées, ce qui te fait peur. Que se passe-t-il derrière ces portes?

Enfin, le docteur Onk ouvre une porte du côté droit du couloir. Sur celle-ci, on peut lire LABORATOIRE P.

— Est-ce que c'est le laboratoire de ta mère? te demande Laurent en chuchotant.

— Par ici, ordonne le docteur Onk.

Il se tient à côté de la porte, de façon que Laurent et toi puissiez entrer les premiers. Dans la pièce, c'est plein de matériel de laboratoire: des tables, des éviers, des bechers, des becs Bunsen. Et des pots remplis de toutes sortes de choses bizarres.

Mais pas trace de ta mère.

Puis, tu aperçois sur la surface noire d'une des tables une espèce de pâte verdâtre et visqueuse formant une petite boule molle, grosse comme un œuf de caille. Sa consistance se situe entre celle du dentifrice et celle de la pâte à modeler.

Et ça émet une petite lumière douce.

— Qu'est-ce que c'est que ça? demande Laurent en montrant du doigt la pâte molle et verdâtre.

— Ça? répond le docteur Onk en prenant la boule dans ses mains. Tiens... attrape!

Et il lance la boule de pâte molle dans ta direction!

---

*Attrape la pâte molle à la PAGE 96.*

— On ferait mieux de pas faire les fous, dis-tu à Laurent en t'éloignant du chimpanzé. On retourne dans la salle d'attente. Pas de niaisage... tout de suite!

Laurent te suit à contrecœur. Tout en sortant de la salle de repos, vous regardez le chimpanzé.

Quand vous arrivez à la porte, le chimpanzé penche la tête et vous salue de la main. Il a l'air vraiment triste de vous voir partir!

Puis vous traversez le couloir à toute vitesse et entrez dans la salle d'attente. Il n'y a toujours personne. Quelques minutes plus tard, la grande porte (celle qui ressemble à une porte de coffre-fort) s'ouvre. C'est ta mère qui arrive.

— Te voilà enfin! s'exclame-t-elle. C'est bien ce que je craignais. Tu t'es trompé de salle d'attente! Viens-t'en!

D'un mouvement de tête, elle indique l'ascenseur dans le couloir.

— Quel film nous emmènes-tu voir? lui demandes-tu.

— Il est trop tard pour aller au cinéma, dit-elle. On va tout simplement rentrer à la maison et se mettre au lit.

BEURK!

Tu vois ce qui arrive quand tu perds le goût de l'aventure!

**FIN**

En utilisant toute ta volonté, tu tentes de faire dévier ton corps pour qu'il tombe à côté des rochers.

Et ça marche... mais de justesse. Tu as presque frôlé les rochers. Pendant une minute, tu t'enfonces dans l'eau. Puis, avec tes jambes, tu te donnes une poussée et tu remontes à la surface.

Heureusement que tu sais nager !

Tu escalades les rochers pour sortir de l'eau et tu t'y assois pour te faire sécher. Le soleil te réchauffe et tes vêtements sont déjà presque secs.

« C'est complètement dément ! » te dis-tu. Si ce n'est qu'un jeu de réalité virtuelle, comment se fait-il que tu te sentes vraiment mouillé ?

Puis tu entends un bruissement venant des buissons. Un grand dragon de Komodo, de plus de trois mètres de long, fonce sur toi !

Tu te mets à crier. Tu as lu assez de choses à propos de ce type de lézards pour savoir qu'ils sont très dangereux. Ce sont les plus grands lézards du monde ! Et ils courent très vite, aussi. Celui que tu as devant les yeux serait capable de te sauter dessus, de mordre ton ventre avec ses grandes dents pointues et de te tuer instantanément.

Tu peux décider soit de faire le mort, soit de prendre tes jambes à ton cou.

Mais tu dois prendre ta décision au plus vite... sinon, gare !

---

*À la PAGE 75, tu fais le mort.*

*Tu prends tes jambes à ton cou et tu te sauves à la PAGE 86.*

D'un geste lent, le docteur Onk déplace sa main droite vers son poignet gauche pour se pincer la peau... juste au-dessus de la plaque de pâte molle dont tu viens de l'enduire.

Tu n'en crois pas tes yeux ! Il s'arrache la peau !

Non, ce n'est pas ça, tu t'en rends compte. Il retire un gant de caoutchouc très fin, couleur chair... un gant qui imite parfaitement la peau de sa main.

Voilà pourquoi la pâte molle ne le dérangeait pas !

Puis, il saisit de ses mains, pour le retirer aussi, le masque de la même matière caoutchouteuse, qui lui recouvre le visage.

— Non ! t'écries-tu au moment où tu aperçois son vrai visage.

Ce n'est pas le même visage que celui du masque. C'est le visage gras et empâté d'un homme que ta mère t'a montré, un jour, sur une photo. Quelqu'un qui a été renvoyé de son laboratoire... parce qu'il était complètement fou !

« Vous êtes Herbert Wimpelmeyer, le savant fou ! » essaies-tu de crier.

Mais la pâte verte a pénétré dans ta bouche. Et tu as crié quelque chose qui ressemblait à « Wèbè Wibeumeu ».

— J'ai horreur des gens qui ne sont pas capables de prononcer mon nom comme il faut, dit le docteur Onk d'un ton menaçant.

---

*Va à la PAGE 119.*

Tu regardes les cages et ton cœur se serre. Plusieurs sont occupées. Et pas par des chimpanzés, mais par des humains ! Des grandes personnes, dont la plupart portent des sarraus. Et toutes sont en train de dormir.

Laurent montre quelque chose du doigt. Cette femme roulée en boule dans la cage du coin... c'est la réceptionniste aux lèvres trop fines.

Pas étonnant qu'il n'y ait personne dans les couloirs des Laboratoires Onk !

— Hé ! Qu'est-ce qui se passe, ici ? s'écrie Laurent.

Oscar te sourit. D'un sourire de chimpanzé. Puis il émet toute une série de onk !

Tu ne comprends pas le langage des chimpanzés. Mais, si tu le pouvais, tu saurais qu'Oscar vient de dire :

« Nous étudions le cerveau humain. Les humains sont très intelligents. Et, physiquement, ils sont très semblables aux chimpanzés. » Puis il ajoute en te donnant de petites tapes sur la tête : « On peut apprendre beaucoup de choses à les observer. Nous sommes particulièrement heureux de disposer maintenant de deux enfants humains pour nos recherches. C'est vraiment très intéressant ! »

Laurent et toi vous mettez à reculer. Vous n'avez pas compris ce qu'il vient de vous dire. Mais, au moment où vous vous butez à la porte fermée, vous avez la certitude de bien comprendre un fait scientifique très important. Vous êtes absolument sûrs que c'est la...

**FIN.**

Ça marche !

Les bergers allemands ne te menacent plus !

Tu as réussi ! Tu les as matés ! Un par un, les bergers allemands se retournent et rebroussent chemin.

« On va les suivre. Peut-être qu'ils savent où se trouve la sortie ! » t'apprêtes-tu à dire à Laurent.

Mais tu ne peux pas parler. En dedans de toi, tu es toujours un humain. Mais tu as le corps d'un chien !

« Mais, attention, te dis-tu. Pourquoi les suivre ? Ce ne sont que des chiens. »

Laurent et toi devez trouver le moyen de retrouver votre corps d'enfant !

Pendant une minute, tu observes les chiens. Ils ont vraiment l'air de savoir comment se diriger dans ce labyrinthe.

Alors ?

Veux-tu suivre les chiens ?

Ou parcourir le labyrinthe sans eux ?

---

*Si tu décides de suivre les chiens, va à la PAGE 123.*

*Si tu décides de parcourir le labyrinthe sans eux, va à la PAGE 52.*

Tu as peur de regarder sous le drap... et tu as peur de ce qui va arriver si tu ne le fais pas. Qu'est-ce que c'est que cette chose qui fait des bosses ? Est-ce que c'est ça qui criait à l'aide, tout à l'heure ?

Tu vas voir d'un peu plus près... et tu aperçois un soulier de course d'enfant qui dépasse du drap !

La tête te tourne. Tu penses que tu ferais mieux de t'étendre.

Mais où ?

Pas question de t'étendre dans cette salle d'opération !

— Au secours ! crie une petite voix. À l'aide !

Tu avales ta salive. Ton cœur bat très fort. Tout tourne autour de toi.

Est-ce que tu as le courage de regarder sous le drap ?

---

*Si tu décides de regarder sous le drap, reviens à la PAGE 22.*

*Si tu penses que tu devrais d'abord t'étendre, reviens à la PAGE 40.*

Tu te mets à faire de l'urticaire.

Tu as le corps couvert de petits boutons. Sur le visage. Dans le cou. Sur les bras. Sur les mains.

Même ta langue se couvre de petites papules rouges et enflées.

Mais l'urticaire n'est pas très dérangeant, comparé à la pâte molle. Celle-ci envahit ton nez, ta bouche et même tes yeux. On dirait des millions de serpents qui pénètrent tes voies respiratoires. Tu vas être étouffé d'un instant à l'autre.

Tout d'un coup, Laurent a l'air de revenir de sa transe. Il revient à la vie… et court rejoindre le docteur Onk.

— Je vais vous rendre la monnaie de votre pièce ! crie Laurent.

Puis il barbouille le visage du docteur Onk avec la pâte verte et molle.

— Ahhhhh ! s'écrie le docteur Onk, la voix remplie de terreur.

Il se précipite hors de la pièce. Et, à lui voir la tête, tu te dis qu'il est allé chercher l'antidote !

---

*Suis-le à la PAGE 80.*

— Une brosse à dents, réponds-tu au docteur Onk.

— Très intéressant ! s'écrie-t-il. Tu es un vrai champion du Club des CHAIR DE POULE !

— Alors, comment est-ce qu'on fait pour sortir de ce laboratoire ? lui demandes-tu avec impatience.

— Le labyrinthe des chiens, répond le docteur Onk.

— Hein ? Le labyrinthe des chiens ? répètes-tu en te disant que tu as sûrement mal entendu. Mais vous avez dit tout à l'heure que, si je pouvais répondre correctement à votre question, il y aurait un autre moyen de sortir d'ici !

— Désolé. Je suis un menteur, répond le docteur Onk en ricanant. Vous devez tous les deux passer par le labyrinthe des chiens.

Le docteur en tremble d'excitation. Il se précipite vers le mur et appuie sur un gros bouton rouge. Une porte secrète, dissimulée dans le mur de la salle d'opération, s'ouvre toute grande.

Laurent et toi jetez un coup d'œil de l'autre côté. Vous êtes nerveux. Le couloir que vous voyez est beaucoup plus étroit que le précédent, par lequel vous êtes arrivés. « Beaucoup trop étroit », te dis-tu. Et tu n'aperçois pas une seule porte. Tu devines seulement plein de tournants et de recoins.

Si tu t'y aventures, arriveras-tu à t'en sortir ?

Le docteur Onk vous fait signe, à Laurent et à toi, de vous engager dans le labyrinthe.

— Amusez-vous bien, dit-il avec un rire sarcastique. Oh ! J'oubliais ! Attention aux chiens !

---

*Des chiens ? Quels chiens ? Découvre-le à la PAGE 23.*

Ta gorge se serre. Tu as l'estomac tout à l'envers. Mais tu ne te sens plus le poignet enserré.

C'est parce que le docteur Onk a relâché son étreinte. Et il rit.

— Bon, bon, bon, dit-il en gloussant. Comment as-tu trouvé ça ? J'ai fait de toi une copie conforme de la personne la plus parfaite du monde... c'est-à-dire moi !

Tu te sens très mal.

— Non ! cries-tu. Vous ne pouvez pas faire ça !

Mais le docteur Onk ne t'écoute pas. Il se dirige vers une armoire, puis en ouvre la porte. Il en retire un imperméable à grand capuchon et l'enfile.

Le capuchon recouvre son horrible tête.

— Au revoir ! te dit-il. Désolé de te fausser compagnie, mais j'ai à faire. Tu comprends, ces derniers temps, j'ai pas mal perdu de ma réputation auprès du gouvernement. Trop d'expériences « peu conventionnelles », disent-ils. Alors, je dois quitter le pays. Désolé pour toi, mais je te laisse ici, dans mes laboratoires.

Puis il sort de la pièce en courant. Et tu ne le revois plus.

Bon. Qu'est-ce que ça peut bien faire ? C'est seulement de la réalité virtuelle, non ?

Soudain, les images arrêtent de défiler dans ton casque. Et les sangles se relâchent autour de tes poignets ! Tu es libre !

Mais l'es-tu vraiment ?

---

*Va à la PAGE 93.*

Tu fixes l'écran blanc que le casque te donne à voir. Puis, d'un geste lent, tu lèves les bras et retires le casque.

Hé ! Comment ça se fait que tu as les bras libres ? Il y a quelques minutes à peine, ils étaient attachés au fauteuil en cuir noir. L'étaient-ils vraiment ?

— Contente de te revoir ! te dit une voix provenant d'un visage souriant, quand tes yeux se réhabituent finalement à la réalité.

Ta mère ! Elle est là, devant toi... la police à ses côtés ! Et le docteur Onk est toujours allongé par terre, sans connaissance.

— Maman ! t'écries-tu. Qu'est-ce que tu fais ici ?

— Tu es descendu au dix-huitième étage, où tu m'as trouvée, dit-elle. T'en souviens-tu ? Puis j'ai appelé la police et...

Mais ça s'est passé dans le jeu de réalité virtuelle. Non ?

Tu secoues la tête et ne dis pas un mot. Pourquoi se creuser la tête ? Laurent et toi vous en êtes tirés indemnes. Et le docteur Onk va aller en prison. La police vous raconte qu'elle a trouvé toutes sortes de choses bizarres dans ses laboratoires. Dont un crapaud géant capable de chanter !

— Un crapaud géant qui chante ? demande Laurent.

Il fait un grand sourire. Puis, il sort de la pièce et court dans le couloir à la recherche du crapaud.

Oh, oh ! Ça recommence ! Peut-être que ce n'est pas vraiment la...

**FIN.**

Tu décides de parcourir le labyrinthe sans les chiens.

— Ouah ! lances-tu à Laurent.

Tu t'engages dans le labyrinthe en trottinant. Laurent te suit à distance. En peu de temps, tu retrouves le chemin pour revenir à l'entrée du labyrinthe des chiens. Celle que le docteur Onk a fermée à clé, après t'avoir fait pénétrer dans le labyrinthe.

Tu te couches et tu attends. Après tout, le docteur Onk est bien obligé d'ouvrir cette porte de temps en temps, n'est-ce pas ?

C'est exact.

Mais ça prend quelques heures avant qu'il ne vienne.

Et tu passes à l'attaque ! Tu lui sautes dessus en grognant et en le mordant. Tu lui enfonces les crocs dans la cheville. Grrrr ! Tu détestes le goût de son pantalon. Mais tu t'en fous.

Tu le mords frénétiquement, comme si c'était une question de survie pour toi.

Justement, c'en est une !

— Aïïïe ! crie le docteur Onk.

Il se jette en arrière en essayant de te faire lâcher prise.

Mais tu ne veux pas ! Tu es féroce ! Tu es un animal.

Tu vas lui tenir la jambe jusqu'à ce qu'il comprenne ce que tu veux… et qu'il te change de nouveau en humain !

---

*Tiens-le bien jusqu'à la PAGE 60.*

Tu en restes bouche bée quand tu vois ce qui se passe derrière la vitre. Le laboratoire est rempli de chimpanzés ! Mais ils ne sont pas là à faire des singeries ! Ils ne font que des choses intéressantes, comme de jouer aux échecs, lire ou faire de la peinture.

— Regarde ! dit Laurent. Des chimpanzés qui jouent à des jeux électroniques ! Super ! Et as-tu vu le nombre de points qu'ils ont marqués ?

— Quel genre de recherches faites-vous dans ce laboratoire ? demandes-tu au professeur Yzark.

— J'étudie le cerveau des chimpanzés, explique-t-il. Les chimpanzés sont très intelligents. Et, physiquement, ils ressemblent beaucoup aux humains. Ils peuvent nous apprendre beaucoup de choses.

Oscar donne un coup de coude au professeur. Un très gros coup de coude... comme s'il voulait quelque chose.

Le professeur sursaute, puis se tourne vers toi.

— Oscar se demande si vous aimeriez entrer, dit-il pour voir comment se déroule la recherche.

— Bien sûr ! s'écrie Laurent. Est-ce qu'on pourra jouer avec les jeux électroniques ?

— Ça fera très plaisir à Oscar, répond le professeur Yzark avec un étrange sourire.

« Pourquoi sourit-il ainsi ? » te demandes-tu.

— Allez ! dit Laurent avec impatience. Qu'est-ce que tu attends pour te décider ?

---

*Si tu décides d'entrer dans la salle des chimpanzés, va à la PAGE 67.*

*Sinon, va à la page 108, où tu trouveras une excuse.*

Le docteur Onk t'emmène dans le couloir. Vous passez devant une dizaine de portes fermées. Vous tournez un coin.

Puis, tout à coup, tu vois une salle d'opération digne d'un grand hôpital. Le docteur Onk en franchit les portes battantes.

— Hé ? t'exclames-tu. Où sont les chiens ? Où est le laboratoire des chiens ?

— C'est ici, répond le docteur Onk en vous tendant deux chemises d'hôpital. Mettez ça.

Mettre ça ? Il veut rire ? Est-ce que tu ne devrais pas avoir la permission de tes parents pour ce genre de choses ?

— Euh ! J'ai changé d'idée, marmonnes-tu. Je crois que je ferais mieux de demander la permission à ma mère pour ça.

— Trop tard ! te lance le docteur Onk.

Puis, il pose ses mains sur tes épaules et te fait franchir les portes battantes.

« Hé ! » te dis-tu. Il ne peut pas te donner des ordres comme ça !

---

*Impose ta volonté à la PAGE 103.*

C'était quoi, donc, ce truc brun que vous avez mangé ? Tu ne sais pas, mais c'est bien ce qui vous a changés en bergers allemands, Laurent et toi.

Le docteur Onk est beaucoup plus subtil que tu ne le croyais. Cette machine distributrice était un leurre… et tu as mordu à l'hameçon.

Tu grognes à l'adresse de Laurent. Et il grogne à son tour en te montrant ses longs crocs.

« D'accord, d'accord », te dis-tu. Tu vas reculer. Laurent est plus gros que toi.

Tu détournes le regard et tu te mets la queue entre les pattes pour lui faire savoir que c'est lui le chef. Que c'est lui qui commande.

Puis, tu te mets un peu en retrait pour que Laurent puisse lécher les dernières miettes du truc brun sur le plancher.

Quelques secondes plus tard, tu as les poils de la nuque qui se hérissent. Tu as senti quelque chose… d'autres chiens ! Tu les entends qui arrivent. Leurs griffes font un petit bruit sec sur le carrelage.

« On va avoir des ennuis », te dis-tu en commençant à paniquer. Laurent et toi êtes coincés dans une petite cavité au bout du couloir qui va en rétrécissant.

Dans un cul-de-sac.

Pense vite ! Qu'est-ce que tu vas faire ?

---

*Si tu décides de sortir de ton trou et d'attaquer la meute de chiens, va à la PAGE 126.*

*Si tu décides de te rouler en boule et de faire le mort, va à la PAGE 89.*

— Hé... ce sont des toilettes ! t'écries-tu.

— Voilà ! dit le docteur Onk en te tendant un seau et un torchon. Nettoyez-moi ça.

— Nettoyer ? t'exclames-tu.

— Exactement, dit le docteur Onk. Le plancher... les lavabos... toute la place. Je ne vous laisserai pas sortir d'ici tant que ce ne sera pas absolument impeccable, dit-il en ressortant de la pièce.

Nettoyer les toilettes ? Vraiment ?

Puis Laurent et toi examinez l'endroit.

— Bizarre, dis-tu. Regarde donc les lavabos !

— Ils sont bien hauts, s'exclame Laurent. Ils ont presque deux mètres cinquante de hauteur !

— Je me demande quel genre de personne se sert de lavabos aussi hauts, dis-tu.

Et la porte s'ouvre. Une espèce d'humanoïde de quatre mètres de hauteur entre dans les toilettes. C'est un enfant de ton âge !

— Allo, dit-il d'une voix tonitruante.

Puis il se rend compte que sa taille vous surprend.

— Oui, je sais, dit-il d'un air malheureux. Je suis un monstre. C'est à cause du docteur Onk. Mais vous, les gars, vous avez de la chance. Vous devez nettoyer les toilettes. Mais n'acceptez jamais de participer à l'expérience de Rasta.

« Nettoyer les toilettes ? penses-tu encore une fois. Hé... heureusement ! Tous les jours, si vous voulez. » Et quand tu auras terminé, tu pourras te sauver loin de tout ça !

**FIN**

Ne sois pas stupide. Bien sûr que le docteur Onk va entrer. C'est son bureau, grand niaiseux. Il a la clé !

Pensais-tu vraiment que tu pouvais l'empêcher d'entrer dans son bureau ?

Tu vas avoir de gros ennuis, maintenant.

Ta seule chance, c'est de finasser pour te sortir de ce pétrin.

---

*Reviens à la PAGE 26.*

La seule lumière qui reste dans toute cette noirceur est le cadran lumineux de la montre du docteur Onk.

Dans l'obscurité, tu sens qu'il penche la tête pour la regarder. Il grogne.

— Qu'est-ce qu'il y a ? demandes-tu.

— Rien, dit le docteur Onk. Simplement qu'ils sont à l'heure.

— Qui ça ? demandes-tu.

— Les gars de la compagnie d'électricité, répond le docteur Onk. Je dois avouer que je n'ai pas payé mes factures d'électricité depuis trois mois. Ils m'avaient prévenu qu'ils couperaient le courant à 19 h, si je ne payais pas immédiatement, comptant à part ça. Maintenant, c'est clair qu'ils n'entendaient pas à rire.

À rire ? Non… ils n'entendaient pas à rire.

Et toi non plus. Pourquoi ? Parce que, pour rire, il faut avoir pas mal d'air à respirer. Et tu commences à manquer d'air là-dedans.

**FIN**

— Va-t'en ! cries-tu à chacun des chiens.

Tu as appris ça à la télé, au cours d'une émission sur le dressage des chiens.

Ta mère se met à rire.

— Oh, mon chéri ! dit-elle en s'étouffant de rire. Qu'est-ce que tu fais là ?

— J'essaie de te sauver la vie ! lui cries-tu. Je pensais que ces chiens allaient...

Ta mère rit tellement qu'elle en a les larmes aux yeux. Mais elle arrive tout de même à saisir un petit sifflet argenté dans sa poche. Elle souffle dedans. Immédiatement, les chiens cessent de japper et s'en vont.

— Ces chiens, explique ta mère en s'essuyant les yeux, font partie de mes recherches au laboratoire. Pensais-tu vraiment qu'ils allaient me faire du mal ?

La tête te tourne. Il s'est passé tellement de choses !

— Mais... et tes chaussures ? Et le docteur Onk ? lui cries-tu.

— Oh, j'ai laissé les chiens jouer avec mes chaussures, t'explique-t-elle. Ils aiment ça. Quant au docteur Onk, je suppose qu'il a essayé de vous faire peur. Il est un petit peu timbré. Il suffit de ne pas s'en occuper.

Ne pas s'en occuper ? Elle veut rire ? Il est complètement cinglé !

Mais ta mère a l'air convaincue. Tu t'apprêtes à la suivre. Puis tu vois le grain de beauté.

---

*Qu'est-ce qui se passe ? Découvre-le à la PAGE 124.*

— Lâche-moi ! Lâche-moi ! hurle le docteur Onk.

Il plonge la main dans la poche de son sarrau blanc et en retire un sifflet argenté. Et il se met à siffler très fort.

AAAAAH ! Ça fait mal ! C'est tellement fort. Ça te perce les tympans. Tu as envie de crier et de hurler. Mais tu ne le fais pas. À la place, tu lui enfonces les crocs encore un peu plus dans la jambe.

— Oh, seigneur ! dit le docteur Onk, découragé. Tu n'es pas un chien. Tu es cet enfant !

GRRRRRRRRR ! Exactement ! Et tu te mets à grogner en espérant qu'il comprenne ce que tu cherches à lui dire.

— Je vais te changer en humain ! s'écrie-t-il. Mais lâche-moi d'abord !

Hé ! Il te prend pour un imbécile ! Tu ne le lâches pas.

Le docteur Onk se dirige vers une salle de laboratoire toute proche en te traînant avec lui. Il ouvre un tiroir métallique blanc et en sort une pilule rouge. Ça ressemble à un *M & M*, mais en beaucoup plus gros. C'est à peu près gros comme un très gros raisin.

— Voilà ! Mange ça ! dit le docteur Onk en te l'offrant. Ça va te changer en humain. Je crois.

Il croit ? Comment ça ? Est-ce qu'il se rend compte de ce qu'il est en train de faire, ou non ? Est-ce que c'est une ruse ? Parce que, pour avaler la pilule, il faut que tu lâches sa jambe. Est-ce que tu devrais vraiment le faire ?

---

*Si tu décides de prendre la pilule, va à la PAGE 106.*
*Si tu refuses d'ouvrir la gueule, va à la PAGE 100.*

Oh, oh ! Tu n'es pas tout à fait assez grand. Tu essaies par tous les moyens en sautant de toutes les manières possibles, mais tu n'arrives pas à atteindre le bouton.

Finalement, tu es complètement éreinté. Tu t'étends sur le sol, essoufflé et la langue pendante. Tu te mets les pattes sur les yeux. Tu ne veux plus voir le monde extérieur. Dans ton petit cœur de chien, tu sais que tu n'arriveras jamais à te sortir de là. Tu resteras un chien pour toujours.

Mais... ce n'est peut-être pas si mal ! Il y a de bons côtés à la vie de chien.

Comme quoi ?

Par exemple, tôt ou tard, le docteur Onk va entrer dans le labyrinthe.

Et tu as une puissante mâchoire... garnie de longues dents pointues !

Tu veux te venger ?

Tu parles !

Bien entendu, tu es un chien. Mais est-ce que ça t'oblige à être le meilleur ami de l'homme en toutes circonstances ?

**FIN**

— Ce n'est pas bien loin encore, dis-tu. On y va.

— D'accord, répond Laurent.

— Le couloir rétrécit ; on ferait mieux de marcher l'un derrière l'autre, suggères-tu. Va devant !

— Non, vas-y, toi, te rétorque Laurent.

— Non, sincèrement. Je te laisse la place.

Il va durer combien de temps, votre petit jeu ?

Pas très longtemps. Finalement, tu retires une pièce de monnaie du fond de ta poche. Tu la lances en l'air.

— Face, je passe devant. Pile, c'est toi, dis-tu à Laurent.

---

*Avec une pièce de monnaie, tire à pile ou face. Si c'est face, va à la PAGE 68.*

*Si c'est pile, va à la PAGE 91.*

— Pas question, réponds-tu à Linda. Nous ne sommes pas venus ici pour participer à des expériences scientifiques. Nous sommes venus chercher ma mère.

Linda te fusille du regard. Ses longs cheveux bruns tombent en cascade sur son sarrau. Elle ressemble à la sorcière dans *Blanche Neige*.

— Attendez-moi ici, vous ordonne-t-elle. Je vais chercher le docteur Onk.

Au bout de quelques minutes, un vieil homme aux cheveux gris entre dans la pièce. Le docteur Onk porte un sarrau identique à celui de Linda, mais il l'a mis à l'envers. Il a le visage bouffi et tout ridé, avec quelque chose de bizarre à la joue droite. On dirait que la peau en a été poussée vers l'œil et comme agrafée là. Ça le fait loucher un peu.

— Bon, bon, dit le docteur Onk en vous regardant de son œil qui louche, avec le ton d'un directeur d'école qui viendrait de vous surprendre en train de voler des bonbons dans la machine distributrice. Que puis-je faire pour vous ?

— J'attends ma mère, réponds-tu avec assurance.

Il te demande ton nom, et tu le lui dis.

— Ah oui ! fait le docteur Onk. Venez avec moi.

---

*Suis-le à la PAGE 41.*

Tu juges que le docteur Onk est trop bizarre. Tu es sur le point de sortir de la pièce. Mais Laurent a comme des signes de dollars à la place des yeux.

— Où vas-tu? te chuchote Laurent à l'oreille.

— Je sors d'ici, déclares-tu.

— Pas question, répond-il avec assurance. Je reste jusqu'à ce que j'aie l'argent dans les mains.

Le docteur Onk sourit. Il voit bien que tu es méfiant.

— Qu'est-ce qui peut nous arriver? grommelle Laurent. Sérieusement! Ta propre mère travaille ici. Il n'y a donc aucun danger... n'est-ce pas?

Tu fais un signe de la tête, l'air à moitié convaincu.

Mais où est donc ta mère, à la fin?

Comme s'il avait lu dans tes pensées, le docteur Onk dit d'une voix forte:

— Finalement, je ne suis pas sûr que vous êtes de bons sujets pour l'expérience de Rasta. Je crois que vous seriez bien meilleurs pour quelque chose...

Et sa voix s'estompe:

— ... d'autre.

Plus le temps passe, pire c'est.

---

*Si tu es prêt à faire ce que le docteur Onk te demandera de faire, reviens à la PAGE 25.*

*Si tu as trop peur, reviens à la PAGE 17.*

Tu traverses aussitôt la pièce en poussant la chaise pivotante de la réceptionniste devant toi. Tu la places derrière la porte pour surprendre le nouvel arrivant. Puis tu cherches quelque chose qui puisse te servir d'arme.

Il doit bien y avoir quelque chose que tu peux utiliser pour assommer quelqu'un !

— Qu'en penses-tu ? te demande Laurent en te tendant le téléphone.

— Hé... très bonne idée ! réponds-tu.

Tu tiens le téléphone au-dessus de ta tête, comme une matraque, et tu attends. Tu es debout sur la chaise pivotante.

La porte s'ouvre, et Linda entre.

Tu te penches vers l'avant, avec le téléphone à bout de bras. Tu t'apprêtes à l'assommer.

Mais, tout d'un coup, la chaise pivotante... pivote, puis bouge un peu.

Oups !... elle se met à rouler... à rouler... tu perds l'équilibre... et...

Boum !

La chaise part sous tes pieds.

Tu fais un plongeon vers l'avant et tombes par terre.

Puis tout devient noir.

---

*Va à la PAGE 69.*

Tu souffles de nouveau dans le sifflet argenté. Plus fort, cette fois-ci.

Mais il n'y a toujours aucun son qui en sort.

« Qu'est-ce qui ne marche pas ? » as-tu envie de crier. Mais tu n'as plus de voix du tout, à cause de la peur.

Tu souffles encore une fois. Toujours rien. Mais, à l'instant même, tu remarques quelque chose. Les chiens battent en retraite ! Tous les six. Ils s'arrêtent de japper. Ils cessent de te sauter dessus. Et tous les six s'assoient sagement ! Ils s'assoient, tout tranquilles, et pointent le museau en l'air pour te regarder, comme s'ils attendaient d'autres ordres de ta part.

— *Cool* ! s'exclame Laurent. Ça doit être un sifflet pour chiens. Tu sais, de ceux qui font des sons très aigus. Les humains ne peuvent pas les entendre, mais les chiens, oui. Où l'as-tu eu ?

— C'est un peu compliqué. Je te raconterai ça une autre fois, lui réponds-tu en essuyant la sueur sur ton front. Viens-t'en. On va essayer de sortir d'ici.

---

*À la PAGE 97, cherche la sortie.*

Pourquoi ne pas jeter un petit coup d'œil sur ce laboratoire ? te dis-tu.

Après tout, ta mère ne t'a jamais laissé rien faire de semblable. Elle ne t'a jamais montré une seule de ces choses si fascinantes. C'est peut-être ta seule chance de le faire.

— Oui, on aimerait ça voir les chimpanzés, réponds-tu au professeur Yzark.

Le professeur sourit. Oscar saute de joie.

— Bon, dit le professeur Yzark.

Sans tarder, il vous invite à passer par la porte d'accès.

Aussitôt que vous entrez, les chimpanzés lèvent les yeux vers vous. Ils vous dévisagent, Laurent et toi, sans faire le moindre bruit.

« Bizarre », te dis-tu.

Tu ne bouges pas d'un poil pour ne pas effrayer les chimpanzés. Pour cette raison, tu ne te rends pas compte de ce qui se passe dans ton dos.

Le chimpanzé Oscar pousse la porte avec fracas...

Et la ferme à clé !

Hé ! Qu'est-ce qui se passe ?

*Découvre-le à la PAGE 10.*

La pièce de monnaie est tombée sur face.

Tu avales ta salive, puis te glisses entre Laurent et le mur pour passer devant.

Pas à pas, tu te rends jusqu'au bout du couloir.

Il est de plus en plus étroit. Il ne reste plus qu'un espace d'environ trente centimètres entre les murs. Tu parviens à peine à te glisser dans cette fente.

Mais, maintenant que tu es presque arrivé au bout, tu remarques quelque chose. Les deux murs ne se rejoignent pas vraiment. Le couloir est juste extrêmement étroit sur une longueur d'environ trois mètres. Puis il débouche dans un endroit plus vaste !

Tu te mets de côté en rentrant le ventre et tu réussis ainsi à te glisser jusqu'au bout du couloir.

Qui s'ouvre sur... Et, tout à coup tu vois...

---

*Va à la PAGE 72.*

Tu te réveilles dans la salle d'attente. Linda est penchée vers toi. Et Laurent est accroupi à tes côtés.

— Tu vas bien? demande Laurent.

Tu t'apprêtes à lui répondre, mais Linda plonge la main dans la poche de son sarrau et en ressort une bombe aérosol. Il y a une étiquette portant de grosses lettres rouges. On peut y lire: POUSSIÈRE DE SOMMEIL... L'AÉROSOL DU CRÉPUSCULE.

Elle dirige le bec vers toi et... pchiiit!... elle t'asperge avec son produit. Et elle fait la même chose à Laurent.

Puis elle se met à chanter «Fais dodo...».

Tu jettes un coup d'œil en direction de Laurent. Il s'est écrasé sur le sol. Ses paupières tombent. Les tiennes aussi. Mais avant de t'endormir, de tomber dans un profond sommeil, tu l'entends dire encore quelques mots:

— Le téléphone... tu devrais appeler le 911, dit-il.

Oh oui! Excellente idée!

On y pensera, la prochaine fois.

Mais pour cette fois-ci, tu t'en vas au pays des rêves... et il n'y a pas de téléphones, là-bas. Rien qu'une grande enseigne portant des lettres rouges; on peut y lire le mot...

**FIN.**

Tu téléphones à la pizzeria *Dominico.*

— Allo, qu'est-ce que ce sera pour vous ? dit la voix à l'autre bout du fil.

— Au secours ! Aidez-moi ! cries-tu dans l'appareil. Je suis prisonnier dans les Laboratoires Onk et...

— Les Laboratoires Onk ? D'accord ! Alors ce sera comme d'habitude : une grande pizza, moitié champignons et moitié pepperoni. J'arrive tout de suite !

— Non, écoutez-moi, t'écries-tu. Je suis prisonnier ici ! Il faut que vous veniez m'aider à sortir de là !

— Hé ! Est-ce que c'est une farce ? demande l'employé de la pizzeria.

— Non ! C'est pas une farce ! Je suis enfermé ici, avec le docteur Onk, et il fait des choses épouvantables à mon ami et...

Et la communication est coupée.

---

*Reviens vite à la PAGE 39.*

Incroyable !

Tes vêtements sont tout déchirés ! Tes bras et tes jambes portent des égratignures qui saignent, faites par les épines qu'il y avait dans les broussailles !

— Comment ça se fait ? Qu'est-ce qui est arrivé ? cries-tu. Je pensais que c'était seulement de la réalité virtuelle.

Le docteur Onk te fait un petit sourire.

— Occupe-toi pas de ça, grommelle-t-il. Ta participation à l'expérience s'arrête ici. Tu es libre de partir... si tu veux. Ou bien...

Ou bien quoi donc ? Est-ce qu'il est complètement cinglé ? Évidemment que tu veux partir !

Jusqu'à ce que tu aperçoives Laurent. Il est encore attaché dans son fauteuil en cuir noir, avec le casque sur la tête... et il se met à crier.

— Au secours ! s'écrie-t-il. S'il vous plaît... quelqu'un ! Aidez-moi !

— Comme je te le disais, tu peux t'en aller, dit le docteur Onk. Ou tu peux retourner dans la réalité virtuelle... celle que Laurent est en train de vivre... et essayer de l'aider, dit le docteur Onk en ricanant. Sans toi, j'ai bien peur qu'il n'arrive pas à s'en tirer.

Oh non ! Il faut absolument que tu fasses quelque chose pour ton ami ! Mais quoi ?

---

*Si tu décides de remettre le casque, va à la PAGE 105.*

*Si tu te sauves en courant, à la recherche de quelqu'un qui peut venir au secours de Laurent, va à la PAGE 84.*

— Qu'est-ce que c'est ? Qu'est-ce qu'il y a dans cette pièce ? demande Laurent.

Ton visage s'illumine d'un grand sourire.

— C'est la sortie ? te demande-t-il encore.

— Non, réponds-tu en secouant la tête. Mais c'est presque aussi intéressant.

— C'est quoi ? demande Laurent, agacé.

— Des machines distributrices ! lui cries-tu en te retournant pour lui taper dans les mains, en signe de joie.

— Oui ! dit-il en se glissant dans l'extrémité étroite du couloir pour arriver jusque dans la pièce, à côté de toi.

Tu ne t'en étais pas rendu compte, mais tu commençais à avoir faim. Ton estomac gargouillait déjà depuis une demi-heure.

Tu examines les machines. C'est le genre d'appareil avec une espèce de bulle de verre, toute pleine de rangées de bonbons. Mais, à la place des bonbons, il y a une espèce de matière brune et grumeleuse. Peut-être des préparations à base de noix ou de céréales.

— Oh non ! dis-tu. Pas des choses bonnes pour la santé !

— Tant pis ! s'écrie Laurent. Je meurs de faim.

C'est vrai. Tu meurs littéralement de faim. Et, de toute façon, les machines n'ont pas de fente pour mettre la monnaie. Ce serait donc gratuit ?

---

*À la PAGE 83, découvre si, oui ou non, elles sont gratuites.*

— Mon petit baveux ! te crie le docteur Onk.

Comme il a toujours les yeux fermés, il ne te voit pas arriver. Tu t'élances dans sa direction, les bras tendus et les mains toujours couvertes de pâte molle. Tu lui barbouilles le menton de pâte, et la bouche et le front.

— Ha, ha, ha ! s'esclaffe le docteur Onk en rejetant la tête en arrière et en s'étouffant de rire.

« Qu'est-ce qu'il y a de si drôle ? » te demandes-tu.

Et puis, tu te rends compte... N'as-tu pas déjà vécu cet épisode auparavant ?

Et c'est là que tu le vois tendre la main vers l'arrière de son oreille... et retirer un autre masque.

Oh non ! Tu te dis qu'il est sans doute fou... mais aussi très intelligent.

Plus intelligent que toi.

Maintenant, qu'est-ce que tu vas faire, nono ?

Laisse tomber... Tu aurais beau faire n'importe quoi, le docteur Onk aurait toujours un autre masque à enlever. Tu ne peux pas finasser avec lui. Tu ne peux pas lui échapper. Et, devine quoi.

Les vingt secondes sont maintenant écoulées !

Alors, salut ! Parce que c'est la...

**FIN.**

Es-tu fou ? Tu vas te cacher sous la table d'opération ?

Réfléchis bien. Le drap qui recouvre la créature mi-garçon, mi-chien ne te cachera qu'à moitié.

Ce qui veut dire que ce n'est pas un très bon plan.

Le docteur Onk arrive en trombe et te découvre immédiatement.

— Ah, ah ! s'exclame-t-il en te jetant un regard mauvais et en se frottant les mains. Je vois que tu as décidé de rester encore un petit peu... et de collaborer.

Tu essaies de te sauver, mais il t'attrape. Il te fait boire de force un liquide violet qui fait de la mousse. Puis il te branche à une machine... et, au bout d'une demi-heure, tu es changé en créature mi-enfant, mi-chien et mi-ballon de basket-ball !

Hé ! Ça fait une moitié de trop !

Mais essaie donc d'expliquer ça au docteur Onk. Il s'en fout complètement.

Tu te regardes dans le miroir et pousse un hurlement. Tu as un ballon de basket-ball à la place de la tête !

Avec la moitié d'un cerveau, tu aurais pu faire un meilleur choix.

Mais là, il ne te reste même plus la moitié d'un cerveau, n'est-ce pas ?

**FIN**

Tu fais le mort. Tu es absolument immobile. Tu n'oses même pas respirer. Tu ne veux surtout pas attirer l'attention du lézard sur toi.

Comme tu es gentil ! Le dragon de Komodo apprécie vraiment ton esprit de collaboration.

CROC !

Il n'a même pas besoin de te donner un coup de queue pour t'immobiliser par terre. Il n'a qu'à enfoncer ses dents tranchantes comme des lames de rasoir dans tes côtes et... vraiment, il te trouve parfait en collation !

Tu n'es pas content ? Tu aurais préféré que ça se termine autrement ? Tu croyais que ce n'était que de la réalité virtuelle ? Et que ce n'était qu'un jeu ?

Désolé. C'est bien de la réalité virtuelle... mais, c'est là où tu te trouves, en cet instant !

Et, comme ce n'était qu'un jeu, TU AS PERDU !

**FIN DE LA PARTIE**

— Tu n'arriveras jamais à sortir de mon laboratoire... à moins que tu parviennes à traverser le labyrinthe des chiens ! dit le docteur Onk d'un ton menaçant.

Il tire sur son sarrau pour l'arranger. Comme il l'a mis à l'envers, ça l'étouffe presque. Mais ça n'a pas l'air de le déranger.

Il se frotte le menton d'un air songeur. À voir l'expression qu'il a sur le visage, tu es à peu près certain qu'il est en train de concocter un de ses plans diaboliques. Puis il hoche la tête.

— Oui... Je suis prêt à parier que c'est ce qu'il y a de mieux pour toi, déclare le docteur Onk. Le labyrinthe des chiens... À moins que...

— À moins que quoi ? t'écries-tu.

— À moins que tu connaisses la réponse à une question du Club des CHAIR DE POULE.

— Pas de problème, lui lances-tu. Je suis expert en CHAIR DE POULE.

Et Laurent et toi vous tapez dans les mains en guise d'encouragement.

— D'accord, se met à dire le docteur Onk. Dans le livre *Les cobayes du docteur Piteboule*, lorsque Paul découvre qu'il a de gros poils noirs qui lui poussent dans les mains, qu'est-ce qu'il tient dans sa main ? Une brosse à dents ou une brosse à cheveux ?

---

*Si tu crois que c'est une brosse à dents, reviens à la PAGE 49.*

*Si tu crois que c'est une brosse à cheveux, va à la PAGE 116.*

— Pas question! cries-tu au docteur Onk. Je ne veux pas vous servir de cobaye!

Puis, avec la pâte molle qui est en train de te couvrir complètement le visage, tu te retournes et te diriges à toute vitesse vers la porte.

« Viens-t'en, Laurent! Cours! » essaies-tu de lui dire.

Vous courez à une vitesse digne d'un champion olympique jusqu'au bout du couloir, puis dans la salle d'attente. Et, par chance, la grosse porte de coffre-fort est entrebâillée. Vous vous précipitez dans le couloir pour attraper un ascenseur qui descend.

— Ahhhh! Beurk! s'écrie une jeune fille qui est dans l'ascenseur, effrayée à votre vue.

Oh, oh! La pâte molle et verte. Ça a l'air de la dégoûter.

— Qu'est-ce qu'elle a à dire, celle-là? demande Laurent. Elle ne s'est pas regardée, avec sa peau toute verte!

« Oui, te dis-tu. Et puis, ses cheveux verts... et ses vêtements... et... »

Hé! Qu'est-ce qui se passe? Tout ce qui t'entoure est vert!

Puis tu aperçois ton reflet dans l'un des panneaux chromés de l'ascenseur. C'est alors que tu te rends compte que... la pâte verte t'a complètement recouvert la tête!

---

*Regarde-toi encore une fois, à la PAGE 33.*

— Ne te retourne surtout pas ! chuchotes-tu à Laurent. Continue tout droit.

Vous courez jusqu'au bout du couloir, en passant devant tout plein de portes de laboratoire, pour vous rendre à la réception.

— Maman va probablement être là en train de nous attendre, affirmes-tu à Laurent.

— Oui, répond Laurent. Et puis on va pouvoir sortir de cet endroit de fous.

— Exactement, lui dis-tu en essayant de te convaincre.

Mais, qu'est-ce que tu vas faire, si elle n'est pas là ?

Tu ouvres la porte de la salle d'attente et... horreur !

Il y a un gros berger allemand grognant et menaçant qui bloque la seule sortie.

Et il tient dans sa gueule un objet que tu reconnais !

---

*Cours vite à la PAGE 115.*

— Au secours! cries-tu du plus fort que tu peux.

«Mais, à quoi bon crier?» te dis-tu.

Le docteur Onk ne viendra pas à ton secours. Et Laurent ne peut pas, non plus. Il est attaché au fauteuil en cuir noir. Et la porte d'acier de l'entrée est censée être «toujours fermée à clé». La réceptionniste l'a affirmé.

Dans ces conditions, qui pourrait bien ouvrir cette porte pour venir à ton secours?

Le livreur de la pizzeria, bien sûr!

Aussitôt, la porte s'ouvre... et le livreur de la pizzeria *Dominico* entre.

— Allo, dit-il, tandis que l'eau s'élance dans le couloir lui trempant les pieds. Voici la pizza que vous avez commandée. Moitié champignons, moitié pepperoni. C'est bien ça?

Tu le regardes, bouche bée. Il n'a même pas l'air de se rendre compte qu'il est en train de se faire mouiller les pieds.

— Comment avez-vous fait pour entrer ici? lui demandes-tu, complètement abasourdi.

Il te montre une clé qui se balance au bout d'une longue chaîne.

— Le docteur Onk commande une pizza presque tous les jours, t'explique-t-il. Alors, nous avons une clé. Comme ça, nous n'avons qu'à entrer et à déposer la pizza. On lui envoie sa facture à la fin du mois. C'est bien ce que tu voulais, oui?

Tu fais oui de la tête. C'est incroyable!

---

*À la PAGE 120, tu y crois.*

Tu suis le docteur Onk. Il court vers le fond du couloir, ouvre la porte d'un autre laboratoire et se précipite à l'intérieur.

Là, il y a une énorme boîte de verre avec une porte à charnières. Le docteur Onk entre vivement dans le cube et essaie d'en refermer la porte.

— Pas si vite ! lui cries-tu.

Laurent et toi entrez dans le cube avec lui.

C'est aussi confortable que d'être à trois dans une cabine téléphonique ! Pas fameux ! Et tu sens qu'il y a très peu d'air à respirer.

Mais qu'est-ce que ça peut faire ? Au moment même où le docteur Onk referme la porte, la boîte se remplit d'un gaz blanc, et la pâte se met à couler comme de l'eau.

Tu avais bien vu ! Cette boîte de verre était bien l'antidote ! Te voilà sauvé !

Sauf que...

— Pourquoi la porte ne veut pas s'ouvrir ? demande Laurent en secouant la poignée.

— Hé ! Comment ça se fait que les lumières s'éteignent ? cries-tu.

Tu gardes les yeux ouverts, mais tu ne peux rien voir, car le laboratoire est plongé dans l'obscurité la plus totale.

Et tu es enfermé dans une boîte minuscule avec un fou dangereux !

---

*Reviens à la PAGE 58.*

— Laurent ! appelles-tu.

Tu cours à toute vitesse vers la pièce où tu l'as laissé... celle avec les trois verrous.

Tu as de la chance : aucun n'est poussé. Tu ouvres la porte toute grande.

Les yeux bandés, Laurent est assis à table, au centre de la petite pièce vide. Il a une cuillère à la main.

Devant lui, il y a trois bols de céréales.

Le docteur Onk se tient debout derrière Laurent, un bloc-notes et un crayon dans les mains.

— Quelles céréales ont un goût de balles de ping-pong enrobées de sucre ? demande le docteur Onk. Lesquelles ont un goût de croustilles à la cannelle ? Et lesquelles ont un goût de foin moisi ?

« Hein ! une dégustation ? » te dis-tu.

C'est juste ça ?

Tu te donnes une grande claque sur le front. Quel imbécile tu es ! Et Laurent, maintenant, qui va avoir les cinquante dollars !

— Euh ! Docteur Onk, dis-tu. Est-ce que je peux encore changer d'avis ? Je veux bien participer à cette expérience, moi aussi.

— Désolé, répond le docteur Onk en riant. L'expérience est terminée. Mais ça me ferait plaisir de vous utiliser dans mon laboratoire de chiens.

Un laboratoire de chiens ? Quel genre d'expérience fait-il donc avec des chiens ?

---

*Va voir à la PAGE 111.*

Vite, tu essaies d'enlever des bras de Laurent la pâte molle et verdâtre. Mais ça colle vraiment beaucoup ! Tu arrives à en enlever à peine la moitié.

Et malheur !

Maintenant, c'est à ton tour d'avoir les deux mains collées ensemble !

— Amusez-vous bien, dit le docteur Onk.

Et il prend congé brusquement en faisant claquer ses doigts juste devant son œil bizarre. Puis il sort de la pièce en se traînant les pieds.

Laurent et toi vous débattez avec la pâte molle. Avec vos doigts, vous essayez de l'ôter de vos mains et de vos bras. Sans succès.

Et ça monte, et ça s'étend, et ça monte toujours.

Au bout de quelques minutes seulement, la pâte a atteint tes épaules... et elle commence à faire le tour de ta gorge !

Au moment même où elle atteint ta bouche, le docteur revient dans la pièce.

— Alors, les garçons, comment vous débrouillez-vous ? dit-il avec un sourire diabolique. Êtes-vous prêts à collaborer, maintenant ? Parce que je peux vous débarrasser de cette pâte... si vous acceptez de participer à l'expérience de Rasta.

---

*Si tu décides de participer à l'expérience de Rasta, reviens à la PAGE 9.*

*Si tu décides de barbouiller le docteur Onk avec de la pâte, reviens à la PAGE 37.*

*Si tout ça te rend tout simplement fou, reviens à la PAGE 77.*

Laurent tourne un bouton. Une pleine poignée du truc brun tombe dans la fente de distribution. C'est vraiment gratuit !

— Qu'est-ce que c'est ? demandes-tu en te penchant pour voir ce qu'il a ramassé dans sa main.

— Je veux même pas le savoir, répond Laurent en en mettant quelques grains dans sa bouche et en commençant à mastiquer. Je pense que c'est un truc aux céréales.

Tout doucement, toi aussi tu tournes le bouton de la machine. Tu mets quelques grains de ce truc brun dans ta bouche. Au début, c'est juste un peu salé. Puis...

— Beurk ! hurles-tu en crachant ce que tu as dans la bouche. On dirait de la nourriture pour chien !

— Prends-en encore un peu, dit-Laurent. C'est bon, une fois qu'on s'y est habitué.

Laurent tourne encore une fois le bouton de la machine et continue de manger de ce truc aux céréales. Il en bourre ses poches. Laurent a pour principe de ne jamais rien refuser qui soit gratuit.

Et toi ? Est-ce que tu en veux une autre bouchée... ou non ?

---

*Si c'est oui, va à la PAGE 107.*
*Si c'est non, va à la PAGE 94.*

Pas question que le docteur Onk t'attache de nouveau dans ce fauteuil.

— Je suis libre de partir ? Alors, je sors d'ici, dis-tu en le saluant de la main et en sortant de la pièce, l'air détendu.

Dès que tu es dehors, tu te mets à courir comme un fou. Tu martèles le sol de tes pas. Tu cours jusqu'au bout du couloir, vers la salle d'attente vide. Tu fonces dans la porte et…

Un instant ! La grosse porte d'acier semblable à celle d'un coffre-fort est fermée à clé… et tu ne peux pas sortir !

Vite, tu saisis le récepteur sur la table de la réceptionniste. Tu composes le numéro de téléphone du bureau de ta mère.

Où qu'elle se trouve… elle devrait répondre au téléphone.

Dring… dring… dring… dring… dring…

Tu comptes dix coups, mais tu n'obtiens aucune réponse.

Oh non ! Tu dois faire quelque chose pour aider Laurent… vite !

Tu as les mains moites. Ton cœur bat la chamade. Que peux-tu faire d'autre ?

Alors, tu composes l'autre numéro de téléphone que tu as retenu.

---

*Reviens à la PAGE 70.*

Tu te penches vers l'avant en baissant les bras… euh, c'est-à-dire les pattes antérieures… jusqu'au sol.

Les pattes antérieures ? Hein ? Tu baisses le regard et tu en as presque un arrêt cardiaque. Tes bras sont couverts de fourrure !

Tu as la langue qui pendouille et tu te mets à haleter. Et à renifler.

Tu sens le plancher en reniflant. Tu sens les pattes antérieures de Laurent en reniflant.

Les pattes antérieures de Laurent ? Hein ? Encore !

« Oh non ! » te dis-tu. Tu es en train de te rendre compte que Laurent et toi avez été changés en chiens !

---

*Fais le bon chienchien et reviens à la PAGE 55.*

Pas question de rester à côté d'un dragon de Komodo… Tu PRENDS TES JAMBES À TON COU ! Tu fonces dans les broussailles en courant comme un fou. Mais c'est plein d'épines.

Le dragon de Komodo est à tes trousses. Il te pourchasse.

Tu trébuches, et il réussit à enfoncer ses grandes dents pointues dans une de tes chaussures.

Tu te remets sur tes pieds et tu pars à courir en zigzagant. Tu as lu quelque part que le dragon de Komodo est incapable de changer brusquement de direction. Tu espères arriver à t'en tirer de cette façon.

Et tu as parfaitement raison. Le dragon de Komodo laisse tomber. C'est un bon coureur… mais il n'a pas d'endurance. Il cesse de te pourchasser, puis rebrousse chemin. Et tu t'affales par terre, complètement épuisé.

Le docteur Onk te retire le casque.

— L'expérience est terminée, annonce-t-il.

Mais tu regardes vers le bas et, quand tu vois tes bras et tes jambes, tu te mets à crier !

*Va voir pourquoi à la PAGE 71.*

— Euh ! Tout ça est trop bizarre, dis-tu à Laurent. Je retourne sur mes pas.

Tu rebrousses chemin. Jusqu'à l'endroit où tu aurais pu tourner à gauche.

Ahhh ! C'est mieux comme ça. Au moins, ici, tu ne te sens pas tout coincé. Tu prends sur la gauche.

Ça sent le chien.

Puis tu tournes à droite.

Ça sent encore plus le chien.

— Cet endroit est bizarre, chuchotes-tu à Laurent. Ça sent le chien partout. Et il n'y a pas un bruit. Où sont-ils, ces chiens ?

Où sont-ils ?

Avant que Laurent ait eu le temps d'ouvrir la bouche pour te répondre, tu le découvres. Aussitôt, comme s'ils venaient d'être relâchés d'un enclos, tu entends des chiens qui courent vers toi en jappant férocement !

Ça jappe de partout. Devant toi. Derrière toi.

— Il faut qu'on sorte d'ici ! s'écrie Laurent. Il y a un autre tournant vers la gauche, là-bas, en avant.

— On peut pas se sauver, hurles-tu. Il en vient de partout !

Laurent n'a pas le temps de te répondre. À l'instant même, les chiens arrivent sur vous !

---

*Cours à la PAGE 18.*

Tu tires ta main gauche vers l'arrière, le poing fermé. Puis, tu prends ton élan et décoche le plus beau coup de poing de ta carrière.

PAF !

Le docteur Onk se retrouve allongé par terre. Il est hors d'état de nuire.

Puis, Laurent et toi vous mettez à courir le plus vite que vous pouvez. Vous sortez du laboratoire, enfilez le long couloir et arrivez dans la salle d'attente. Là, la grande porte d'acier est toute grande ouverte.

Ton cœur se met à battre plus fort. De la sueur perle sur ton front. Tu n'arrives pas à croire que tu as réussi à échapper à ce cinglé !

Tu te précipites dans le couloir et appuies de toutes tes forces sur le bouton de commande de l'ascenseur. Tu as l'impression que plus tu appuieras, plus l'ascenseur arrivera vite.

Finalement, l'ascenseur arrive, et Laurent et toi y pénétrez.

Tu appuies sur le bouton du dix-huitième étage… l'étage juste au-dessous. C'est l'étage où se trouve le bureau de ta mère, n'est-ce pas ?

L'ascenseur descend. Mais quand la porte s'ouvre sur le palier du dix-huitième, tu as une grosse surprise.

Il n'y a rien.

Pas de murs. Pas de couloir. Juste un grand espace vide.

Le vide total !

---

*Va à la PAGE 90.*

Vous décidez d'agir prudemment. Vous vous blotissez dans le coin, à côté de la distributrice de nourriture pour chien, et vous attendez. Sans bouger et sans faire de bruit.

Peu de temps après, vous les entendez qui arrivent. Six grands bergers allemands assoiffés de sang. Ils courent. Ils jappent. Et jappent. Et courent toujours. Et jappent encore plus fort.

Le bruit qu'ils font remplit tout le petit couloir et vous fait mal aux oreilles... Vous avez l'ouïe plus fine, maintenant que vous êtes des chiens.

Finalement, les chiens arrivent devant la petite cavité où Laurent et toi vous êtes cachés.

Vous ne faites pas un mouvement. Vous restez là, couchés, en faisant semblant de dormir.

Les bergers allemands ne vont pas attaquer un de leurs frères, n'est-ce pas ?

Malheureusement, tu crois peut-être que tu es un chien, mais les chiens, eux, savent que ce n'est pas vrai. Ils peuvent sentir l'odeur de ton sang humain... et ils ont été dressés à attaquer les humains !

Tu te rappelles quand tu as décidé de te rouler en boule et de faire le mort. Eh bien, tant pis pour toi. Fini de faire semblant !

**FIN**

— Qu'est-ce que c'est que ça ? demande Laurent.

Vous vous penchez en avant pour examiner le vide que vous avez devant les yeux.

Tu penses à toute vitesse. Ça ressemble à l'écran blanc que tu as vu avant que le docteur Onk mette en marche son appareil à créer la réalité virtuelle.

Puis tu comprends.

— Il n'y a rien, dis-tu à Laurent, parce que le docteur Onk n'a rien programmé. Rien pour le dix-huitième étage... ou pour ma mère... ou pour autre chose dans cet immeuble.

— Oh non ! gémit Laurent. Alors nous sommes coincés ici ?

*Va à la PAGE 8.*

La pièce de monnaie tombe sur pile.

« D'accord », te dis-tu. C'est à Laurent de passer en premier. Toi, tu pourras alors examiner l'endroit.

Tu commences par le plancher. Puis les murs. Puis le plafond. Peut-être qu'il y a une autre façon de sortir d'ici...

Hé !... Qu'est-ce que c'est que cette fissure dans le mur ?

Tu regardes à ta gauche et aperçois quelque chose qui ressemble à un panneau coulissant. Tu appuies dessus. Il s'ouvre. Tu te penches pour jeter un coup d'œil dans l'ouverture.

— Laurent ! Hé, Laurent ! chuchotes-tu. Il y a quelque chose là-dedans !

— Hein ? répond Laurent en se retournant et en jetant un coup d'œil, lui aussi.

Dans le noir, on devine une forme massive.

— Est-ce qu'on de-devrait vraiment aller voir ce que c'est ? dis-tu en bégayant de frayeur.

Laurent plisse les yeux pour essayer de mieux voir. Il n'y a pas un mouvement.

— Bien sûr, répond Laurent en haussant les épaules. C'est probablement rien qu'une ombre.

Laurent et toi franchissez l'ouverture dans le mur.

Puis tu te rends compte que Laurent s'est trompé. Cette chose est plus qu'une ombre.

Tu étouffes un cri. Tu t'agrippes au bras de Laurent et tu pointes le doigt devant toi.

---

*Pour savoir ce qui est là, dans le noir, va à la PAGE 121.*

Félicitations ! Tu sautes en l'air et, BRAVO !, tu as réussi à appuyer sur le bouton avec ton museau !

Aussitôt, un pan du mur se met à glisser, découvrant un escalier dérobé. Laurent et toi vous y engagez en courant. Vous reniflez. Tu sens une odeur que tu connais bien.

Qu'est-ce que c'est que cette odeur ?

Et, tout à coup, ça y est ! Tu la reconnais. C'est celle du parfum de ta mère !

Tu te diriges vers l'endroit d'où émane cette odeur. Tu descends l'escalier et t'arrêtes à l'étage au-dessous. Tu te retrouves devant une porte fermée. Tu jappes jusqu'à ce que quelqu'un vienne t'ouvrir. Qui est-ce ?

« Maman ! » essaies-tu de lui crier quand tu la vois.

Tu lui sautes dessus en jappant et en agitant la queue.

— À terre ! ordonne-t-elle. Et puis, qu'est-ce que vous faites ici, les chiens ?

Puis, elle se retourne et appelle quelqu'un qui était resté derrière elle.

— Hé, André ! Viens voir ici ! Il y a deux chiens ! Ils se sont probablement échappés des Laboratoires Onk.

« Maman, tu ne me reconnais pas ? » veux-tu lui demander.

Mais tout ce que tu es capable de dire, c'est :

— Ouah ! Ouah, ouah, ouah ! Ouah !

---

*Va à la PAGE 118.*

Tu retires violemment le casque et tu sautes en bas du fauteuil.

— Laurent ! cries-tu, sortons d'ici !

Laurent te lance un regard plein de haine.

— Qu'est-ce que vous avez fait à mon ami ? s'écrie-t-il.

— Laurent ! C'est moi ! lui lances-tu. C'est moi, ton ami ! J'ai tout simplement changé d'apparence. Le docteur Onk m'a fait à son image.

Laurent secoue la tête et s'éloigne de toi en reculant le plus vite qu'il peut. Tu t'élances à sa poursuite. Il arrive dans la salle d'attente avant toi et compose le 911. Comme il se tient debout sur le bureau, tu ne peux pas lui enlever le récepteur des mains.

Mais pourquoi ne peux-tu pas atteindre sa main ? Parce que tu auras beau essayer tant que tu voudras, tu n'arriveras jamais à grimper sur le bureau. Tu as trop mal aux jambes. Tu as les jointures qui craquent… à cause de l'arthrite !

L'arthrite ? Cette maladie des vieillards ? Bien sûr ! Tu es le docteur Onk… qui a cinquante-huit ans ! Pas de chance. En plus, tu souffres de mauvaise haleine et de douleurs lombaires.

Avant même que tu puisses réagir, la police est sur les lieux. Les policiers t'arrêtent et t'accusent d'avoir effectué des expériences sur des enfants. Et quand Laurent leur dit que tu es porté disparu, ils t'emmènent en prison pour enlèvement… et jettent la clé de la cellule.

**FIN**

— Non, merci ! réponds-tu en faisant la grimace. Ce truc brun et grumeleux a un goût horrible !

Tu tournes le dos à Laurent et jettes un coup d'œil de l'autre côté du tournant, dans le couloir, pour voir s'il y a quelqu'un. Après tout, tu es dans le labyrinthe des chiens. Et le docteur Onk a bien dit de faire attention aux chiens.

Et puis, ça te fait peur d'être ici. Enfermé dans une petite pièce, au bout d'un couloir vide.

Puis tu la sens encore une fois, cette odeur de chien. Mais elle est plus forte. Et semble vraiment très près.

Tu entends un grognement. Juste derrière toi ! Tes muscles se contractent. Tu te retournes brusquement, juste à temps pour voir Laurent qui est en train de se transformer en chien !

— Non ! hurles-tu.

Tu vois ses canines qui se mettent à pousser ! Puis ses cheveux. Et ses poils. Il lui en pousse partout, sur les bras et les jambes. Pardon : sur les quatre pattes !

— Laurent ! Arrête de manger de ce truc ! lui cries-tu.

Mais il est trop tard. La transformation est déjà complète. Laurent est devenu un berger allemand... et il est prêt à passer à l'attaque !

Bon ! Le docteur Onk t'avait dit de faire attention aux chiens. Mais il ne t'avait pas dit de te méfier de ton meilleur ami !

**FIN**

— Par ici, cries-tu à Laurent. Et tu tournes à gauche pour t'engager dans le long couloir blanc.

Tout de suite, tu te retrouves devant une porte au bout du couloir.

BRAVO !

Te voilà de retour dans la salle d'attente !

— On a réussi ! crie Laurent, tout heureux, en te donnant une claque dans le dos. Sortons d'ici !

Vous venez pour vous précipiter vers la porte, mais vous vous arrêtez dans votre élan. C'est bien cette énorme porte semblable à celle d'un coffre-fort, de quinze centimètres d'épaisseur. Mais il y a un problème.

Il n'y a pas de poignée de ce côté-ci, à l'intérieur. Pas de poignée de porte. Rien. Pas moyen de l'ouvrir !

— Peut-être qu'elle s'ouvre quand on pousse dessus, dis-tu.

Tu traverses la pièce en courant et tu pousses de toutes tes forces sur la porte. « Aïe ! » Tu donnes encore un bon coup d'épaule, mais sans réussir à l'ébranler.

— On est prisonniers, gémit Laurent. On est enfermés ici !

« Oh non ! » te dis-tu. Et tu entends le bruit d'un pas ! Quelqu'un s'en vient. Probablement le docteur Onk. Que va-t-il vous arriver ?

Vous auriez peut-être intérêt à vous cacher derrière la porte pour prendre par surprise celui qui vient.

---

*Cache-toi à la PAGE 65.*

La boule de pâte molle et verdâtre arrive sur toi. Mais Laurent se précipite devant toi et l'attrape au vol. C'est un réflexe chez lui. Il ne peut pas s'empêcher d'intercepter une passe.

— Beau coup ! dit le docteur Onk d'une voix grave et menaçante. Comment trouvez-vous ma nouvelle invention ?

Laurent baisse les yeux vers ses mains. Il fronce les sourcils d'inquiétude. La pâte molle et verdâtre lui colle aux mains... et on dirait qu'il ne peut plus les décoller !

— Qu'est-ce que c'est que cette pâte ? demande Laurent d'un ton inquiet.

— C'est le résultat de l'une de mes meilleures expériences, répond le docteur Onk. Je l'ai appelée la MPM : M pour « ma », P pour « pâte » et M pour « molle ».

— Moi je dirais plutôt MPM pour « merci pour moi », s'écrie Laurent.

Tu retiens ton souffle. La boule de pâte a l'air de se mettre à s'étendre en remontant le bras de Laurent !

— Ah oui ! dit le docteur Onk, j'oubliais. C'est MPM aussi pour « monte pour te manger ».

— Au secours ! s'écrie Laurent.

La pâte remonte lentement le long des bras de Laurent, vers son visage.

---

*Vite. Aide ton meilleur ami à se sortir de là, à la PAGE 82.*

Il vous faut environ vingt minutes avant que Laurent et toi réussissiez à vous échapper. Vous trouvez d'abord une sortie de secours dans le labyrinthe des chiens. Elle donne sur une cage d'escalier qui mène à l'étage inférieur, là où ta mère se trouvait tout ce temps-là.

Tu te précipites dans son bureau. Elle est penchée sur un microscope, absorbée par son travail.

— Oh, zut ! dit ta mère en regardant l'heure à sa montre. On dirait bien que je n'ai pas vu le temps passer. Toujours d'accord pour aller au cinéma ? J'ai bien envie d'aller voir le nouveau film de science-fiction qui met en scène un savant fou qui fait prisonnier deux enfants et qui...

Laurent et toi vous regardez et levez les yeux au ciel.

— Attends, maman ! l'interromps-tu. Laurent et moi, on s'en est parlé. On aimerait mieux... euh... quelque chose de plus reposant. On voudrait juste rentrer à la maison, manger une bonne pizza, regarder des dessins animés, puis aller se coucher.

Ta mère te regarde, l'air de ne pas y croire.

— Euh, d'accord, répond-elle. Mais ça me fait de la peine que vous soyez venus me rejoindre à mon laboratoire pour rien. On ne pourrait pas trouver quelque chose à faire qui sorte un peu de l'ordinaire ? Comme de s'arrêter en route et de s'acheter un livre d'histoires d'horreur ?

Laurent et toi levez encore une fois les yeux au ciel. Des histoires d'horreur ? Maintenant ?

— Pas ce soir, maman, lui dis-tu. Vraiment pas !

**FIN**

— Oui, oui, lui assures-tu. N'importe quoi !

Le docteur Onk ne rit pas. Il s'étouffe littéralement de rire en rejetant la tête en arrière et en se tenant les côtes.

— Parfait ! dit-il en se frottant les mains.

Laurent te jette un regard et secoue la tête.

— Merci pour moi, dit Laurent. Je vais rester ici et tenter ma chance avec le truc des chiens.

Tu le salues de la main. Le docteur Onk t'emmène jusqu'au fond du couloir, te fait tourner le coin, puis te conduit devant une porte rose qu'il ouvre. Et il te pousse dans une pièce pleine de plumes. Des plumes blanches. Des plumes brunes. Des plumes de flamant rose.

Il y en a tellement que tu en as jusqu'à la taille.

Ça te chatouille les chevilles quand tu te déplaces dans toute cette masse duveteuse. Mais, à part ça, c'est doux et plutôt agréable.

— Enlève tes chaussures, t'ordonne le docteur Onk, toujours en riant.

---

*Tu te déchausses à la PAGE 109.*

« Laurent n'a pas d'ennuis », te dis-tu. D'ailleurs, tu es sûr que ce cri provient de quelque part devant toi.

— Au secours ! À l'aide ! appelle la voix pleine de désespoir.

Ça semble venir d'une pièce dont la porte est à un mètre ou deux devant toi.

Tu t'élances vers celle-ci et l'ouvre. Elle donne sur un laboratoire. Rien d'autre qu'un laboratoire vide. Mais il y a une grosse boule d'une matière verte et molle sur une table.

« Ce n'est pas le bon endroit », te dis-tu.

Tu poursuis ton chemin dans le couloir. Tu ouvres une autre porte. C'est une armoire à balais.

Il faut que ce soit la prochaine porte à gauche. Elle est déjà entrouverte. Tu la pousses... et lâches un cri de frayeur !

*Reprends ton souffle à la PAGE 38.*

Pas question, décides-tu. Tu ne vas pas ouvrir la gueule.

Comment ça? C'est une farce? Tu n'ouvriras pas la gueule du tout? Et tu vas passer le reste de tes jours accroché à la jambe du docteur Onk?

C'est stupide! Tu n'arriveras jamais à sortir de cet endroit.

Et puis, tôt ou tard, il faudra bien que tu finisses par ouvrir la gueule, sinon tu vas mourir de faim!

Alors, autant commencer en avalant cette grosse pilule rouge.

Ça ne peut pas te faire de mal, n'est-ce pas?

---

*Va à la PAGE 106 pour avaler ta pilule.*

Tu suis le chimpanzé. D'un pas rapide, il t'emmène dans un long couloir tout blanc. C'est bizarre, mais il semble savoir très exactement où il s'en va.

Dans le dos du chimpanzé, Laurent se met à marcher comme un singe.

— Ou, ou, ouho ! fait-il en se grattant sous les bras et en faisant des grimaces.

Le chimpanzé se retourne et surprend Laurent. Il vous lance un regard furieux à tous les deux.

« Bizarre », penses-tu. Tu sais que les chimpanzés sont des animaux doués d'intelligence, mais celui-là a une telle lueur dans le regard… « À vrai dire, te dis-tu, il a même l'air plus intelligent que Laurent ! »

Enfin, vous arrivez devant une porte. Le chimpanzé l'ouvre, et elle fait un bruit de ressort. Ça ressemble à « onk ».

« Qu'est-ce qu'il y a là-dedans ? » te demandes-tu. Tu franchis la porte et pénètres dans un grand laboratoire. Laurent ne te lâche pas d'une semelle.

Là, un homme de grande taille, vêtu d'un sarrau, est en train d'inscrire quelque chose sur un bloc-notes. Il se retourne. De ses yeux sombres, il te jette un regard perçant.

— Qui êtes-vous ? demande-t-il d'une grosse voix. Qu'est-ce que vous faites ici ?

---

*Vous expliquez qui vous êtes à la PAGE 122.*

Tu fonces vers la droite, à toutes jambes.

— Cours… par ici! cries-tu à Laurent, qui a l'air de vouloir aller dans l'autre direction.

Tu arrives au bout du couloir. Tu ouvres la porte qui donne sur la salle d'attente.

Oh, oh!

Ce n'est pas la salle d'attente… mais il y a quand même quelque chose qui t'attend là!

La pièce a des murs tapissés de feuilles d'acier, et une énorme créature, effrayante avec ses deux grands crocs, est assise là, au milieu.

Peux-tu imaginer ce que ça donne, le résultat d'un croisement d'un gorille et d'un vampire?

C'est ce que tu as devant les yeux!

« Croisement » est le mot juste. Le « vamporille » est si féroce qu'il peut décider de te réduire en petits morceaux rien que pour le plaisir de le faire.

Croise les doigts et souhaite de ne plus jamais rencontrer cette créature-là.

Et tu peux ajouter ton nom à la liste des morts, car c'est la…

**FIN.**

— Ne me touchez pas ! cries-tu au docteur Onk.

Mais il ne retire pas ses mains. Tu étends le bras et tu le pousses. Puis tu le pousses encore. Plus fort.

— Vous n'avez pas le droit de faire des expériences sur les enfants ! hurles-tu en le poussant encore une fois.

Il recule en titubant, un peu étourdi, et s'écrase contre un mur de carreaux de céramique.

Puis Laurent et toi foncez vers les portes battantes pour vous sauver.

Il faut que vous sortiez de cet horrible endroit !

— Attendez ! Qui êtes-vous ? demande le docteur Onk. Et puis, comment êtes-vous entrés dans mon laboratoire ?

Répondre à ça, ce n'est pas dangereux... Vraiment ?

---

*Si tu penses que ce n'est pas dangereux de répondre au docteur Onk, va à la PAGE 125.*

*Si tu penses que tu as intérêt à déguerpir de là, va à la PAGE 78.*

Hé ! Il faut regarder les choses en face.

Tu as essayé de te tirer de ce pétrin, mais tu n'as pas été assez futé pour y arriver.

**FIN**

Tu ravales ta salive et te rassois courageusement dans le fauteuil en cuir. Si c'est le seul moyen de porter secours à Laurent, tu veux bien le faire.

Le docteur Onk fixe le casque à écouteurs... et t'attache les bras avec les sangles. Puis il appuie sur des boutons, à la console. Aussitôt, tu vois ce que Laurent voit.

HIIIIIIIII !

Laurent est plongé dans l'eau, dans un grand bassin des Laboratoires Onk... et il se bat avec une pieuvre à deux têtes ! Et, si elle a deux têtes, c'est donc qu'elle a seize tentacules. Même pas besoin de compter pour en être sûr !

Tu te penches au-dessus du bassin. Tu essaies de venir en aide à Laurent. Tu tends la main, mais, avant d'avoir pu l'atteindre, la pieuvre t'attrape !

Elle enroule autour de ton cou un de ses longs tentacules de couleur gris foncé !

---

*Vite ! Sauve ta peau, à la PAGE 27.*

Tu ouvres la gueule tout doucement, juste assez pour libérer la jambe du docteur Onk. Puis, très vite, tu avales la pilule rouge qu'il tient dans sa main.

BEURK ! C'est très mauvais !

Mais, presque instantanément, tu te sens redevenir un humain !

Tu te mets debout sur tes jambes et tu t'étires. Ahhh !... on est beaucoup mieux comme ça ! Tu commençais à être fatigué de marcher à quatre pattes.

Tu regardes tes pattes. Elles sont en train de se changer en mains et en pieds. Au bout de quelques minutes, tu es redevenu toi-même.

Ouf ! Il était temps !

— D'accord, dis-tu au docteur Onk. Voici ce que vous allez faire. Ou bien vous m'accompagnez au poste de police... tout de suite... et vous avouez que vous vous livrez à des expériences épouvantables. Ou bien j'ordonne à mon chien de vous attaquer.

— Ton chien ? dit le docteur en ricanant.

Puis, il baisse le regard et voit Laurent... qui est encore un chien ! Laurent agite la queue pour montrer qu'il te connaît. Il découvre les crocs et menace le docteur Onk d'un grognement féroce.

— Je n'ai pas d'autre choix ? demande le docteur Onk.

— Non ! lui réponds-tu. Pas cette fois-ci.

**FIN**

Tu prends une autre bouchée du truc brun et grumeleux. Puis encore une. Laurent a raison... ce n'est pas si mal. Et tu en manges tant que tu commences à te sentir bien rempli. Ce n'est pas tout à fait ça. Tu te sens lourd. Comme si tu ne pouvais plus te tenir debout.

Tout à coup, tu ressens le besoin urgent de te mettre à quatre pattes.

Quatre pattes ? Comment ça ? Tu n'as pas quatre pattes !

Vraiment ?

---

*Vite ! Découvre la vérité à la PAGE 85.*

— Merci, mais on ne peut pas entrer dans le laboratoire, dis-tu poliment.

— D'accord, répond le professeur Yzark. De toute façon, tu n'as probablement pas le temps. Ta mère vient juste de me téléphoner. Elle était en réunion. Mais elle veut que tu ramènes Oscar avec toi, à la maison. Un peu plus tard, quelqu'un viendra le chercher chez vous.

— Ah oui ? dis-tu. L'emmener à la maison ?

— *Cool* ! s'écrie Laurent.

Mais ce n'est pas *cool* du tout. Dès que vous arrivez à la maison, Oscar devient complètement fou. Il se précipite vers le réfrigérateur et se prépare une collation... mais ce n'est pas pour la manger. C'est pour jouer avec ! Il lance une grosse cuillerée de yogourt à l'ananas sur le mur.

Au secours ! Vous êtes épuisés de courir après Oscar.

— J'ai hâte que quelqu'un vienne chercher ce satané chimpanzé, dis-tu.

À l'instant même, ça sonne à la porte. Tu jettes un coup d'œil par la fenêtre. Il y a une jeep, dehors. Et sur le perron, il y a un grand jeune homme, bien musclé, portant des sandales et des jeans coupés aux genoux. Pas de chemise ni de chandail. Il a de longs cheveux châtains, pâlis par le soleil, qui lui vont jusque sur la poitrine. Il est tout bronzé. Tu as l'impression de l'avoir déjà vu... mais tu ne peux pas te souvenir quand ni où.

Qui est-ce ?

---

*À la PAGE 15, réponds à la porte.*

Tu enlèves tes chaussures sans tarder.

Pourquoi pas ? Même si tu es extrêmement chatouilleux, ça ne peut pas être pire que le labyrinthe des chiens.

Vraiment ?

— Hi, hi, hi ! fais-tu, parce que ça chatouille de marcher sur des plumes.

Aussitôt, le docteur Onk se précipite dans le couloir. Il ferme la porte à clé derrière lui. Tu es enfermé là-dedans !

Puis, tout à coup, un panneau coulissant s'ouvre dans le mur. Quarante petits chimpanzés entrent dans la pièce en courant. Ils ramassent des plumes et se mettent à te chatouiller. Derrière les oreilles. Dans le cou. Sous le menton.

Et sur tes pieds. Sur la plante de tes pieds. C'est là où c'est le pire !

Ils te chatouillent à mort !

Mais, au moins, c'est une fin heureuse, car tes derniers mots sont : « Ha, ha, ha ! Hi, hi, hi ! » Et ton visage s'éclaire d'un grand sourire !

**FIN**

Pas de sifflet ?

Ooooh ! Tant pis.

Tu avais pourtant l'air tellement gentil.

Mais, avec six chiens à tes trousses, il n'y a aucun moyen de t'en tirer.

Ce n'est pas parce que les chiens vont t'attaquer. Ce sont des chiens qui n'attaquent pas. Ils ont été dressés pour te tasser dans un coin... et t'y garder pour toujours.

Et, quand on dit pour toujours, c'est pour toujours. Voici pourquoi cette histoire en est arrivée à sa...

**FIN.**

— Je sais pas, réponds-tu, parce que tu hésites. Le laboratoire des chiens ?

— Déniaise ! te lance Laurent. On pourra peut-être gagner un autre cinquante dollars. Et puis, j'adore les chiens.

Tu réfléchis. Jusque-là, la visite des laboratoires où travaille ta mère a été intéressante. Un peu épeurante, mais intéressante. Et c'est tout de même plus amusant que de rester à la réception à attendre ta mère.

Mais, où est-elle donc, ta mère ?

Et qu'en est-il de cette personne qui criait « à l'aide » tout à l'heure ?

Est-ce que ça ne t'inquiète pas un peu ?

Oui, bien sûr... mais tu décides d'oublier ça. Ce n'était probablement pas grave, n'est-ce pas ? Peut-être que ce n'était même pas une vraie personne qui appelait. Peut-être que c'était une voix à la radio qui joue quelque part. Ou à la télé.

— D'accord, déclares-tu. Je participe à l'expérience. Allons au laboratoire des chiens.

— Excellent, répond le docteur Onk en souriant et en appuyant bien sur la première syllabe du mot. J'étais sûr que vous alliez vouloir collaborer avec moi.

Il te fait un clin d'œil avec son œil qui est bizarre. Celui auquel la joue semble avoir été accrochée. Et qui lui donne l'air de loucher tout le temps.

— Venez avec moi, ordonne le docteur Onk.

---

*Rends-toi au laboratoire des chiens, à la PAGE 54.*

Tu te précipites dans le couloir, le sifflet à la main.

Et là ?

Tu ne peux pas quitter cet endroit sans Laurent...

Laurent ! Il est avec le docteur Onk... dans un laboratoire au bout du couloir ! Et il a probablement de gros ennuis !

Tu t'élances vers la pièce où tu as laissé Laurent et le docteur Onk. Mais il n'y a personne. Tout ce que tu trouves, c'est un papier d'emballage de gomme à mâcher à la cannelle. La sorte que Laurent mâche tout le temps.

Puis tu remarques un autre morceau du même emballage, par terre, près de la porte. Et encore un autre dans le couloir. Et encore un.

C'est une piste ! C'est Laurent qui a essayé de t'indiquer par où on l'avait emmené !

Tu suis la piste tracée par les morceaux d'emballage de gomme à mâcher : jusqu'au bout du couloir ; tu prends le tournant ; puis tu vas tout droit dans une autre salle d'opération !

Là, tu trouves Laurent qui est couché sur une table d'opération en acier inoxydable. Et sur une autre, il y a un pot de cornichons.

Des fils électriques sortent d'une machine laide à faire peur et se rendent jusqu'aux pieds de Laurent. Et aussi jusqu'au pot de cornichons !

— Qu'est-ce que vous êtes en train de faire ? cries-tu au docteur Onk.

---

*Vite ! Reviens à la PAGE 5.*

— Pas question, réponds-tu en regardant les sangles sur les bras des deux fauteuils noirs. Viens-t'en Laurent. Cours !

Sans perdre une seconde, Laurent et toi vous précipitez vers la porte. Vous retournez à toute vitesse dans le laboratoire où se trouve la pâte molle. Puis, vous en ressortez et vous retrouvez dans le couloir.

Alors...

Hé, pas trop vite ! De quel côté se trouve la salle d'attente, déjà ? À gauche ou à droite ?

T'en rappelles-tu ?

Dépêche-toi parce que le docteur Onk est à vos trousses !

---

*Si tu penses que la salle d'attente est à droite, reviens à la PAGE 102.*

*Si tu décides d'aller vers la gauche, reviens à la PAGE 95.*

À cause de la panique, tu as un peu de difficulté à te rappeler ce que tu sais à propos de ces gicleurs.

Ah oui ! Ils réagissent à la chaleur. Ta mère te l'a expliqué, un jour. Sous l'action de la chaleur, l'eau se met à gicler.

Tu saisis aussitôt une chaise. Puis, tu tires le cordon de la lampe du bureau de la réceptionniste et tu en retires l'abat-jour.

« Ça devrait marcher », te dis-tu. Vraiment ?

Tu grimpes sur la chaise, sous l'un des gicleurs. Tu tends la lampe vers le haut et tu touches la tête sensible du gicleur avec l'ampoule, qui est encore chaude.

Il ne se passe rien pendant quelques secondes.

« Vite ! te dis-tu intérieurement. Est-ce que ça va marcher, oui ou non ? »

---

*Reviens à la PAGE 19.*

— C'est la chaussure de ma mère! t'écries-tu en montrant du doigt l'objet bleu et vert que le berger tient dans sa gueule.

Le chien grogne de nouveau à la vue de ton bras tendu. Il a la gueule pleine de bave. Et il te regarde, l'air de vouloir te dévorer. Un vrai tueur!

— Hein? dit Laurent. Tu en es sûr?

— Absolument sûr, lui réponds-tu. Je la reconnais. Ma mère est la seule personne au monde à avoir des chaussures comme ça.

Tu entends Laurent ravaler sa salive. Tu le vois qui ne peut pas détacher son regard du chien. Et le chien ne peut s'empêcher de le regarder. Ils essaient de s'intimider l'un l'autre.

— D'où vient-il, celui-là? demande Laurent.

— Probablement du laboratoire des chiens du docteur Onk, lui réponds-tu.

Et puis, tu saisis. Ta mère est peut-être là, elle aussi! Et si le docteur Onk était devenu fou? Et qu'il tenait ta mère en otage? Et qu'il allait lui faire quelque chose d'horrible... dans cette épouvantable salle d'opération?

Peut-être pas. Mais elle était sûrement dans le laboratoire des chiens il n'y a pas bien longtemps. Sinon, comment expliquer que le chien tient une de ses chaussures?

— Viens-t'en, ordonnes-tu à Laurent en le tirant par la manche. Il faut qu'on retourne dans le laboratoire des chiens, tout de suite.

---

*Sois courageux et retourne dans le laboratoire des chiens à la PAGE 29.*

— Paul tenait une brosse à cheveux, réponds-tu au docteur Onk.

— Faux, faux et archifaux, hurle-t-il. On dirait bien que tu n'es pas le grand champion du Club des CHAIR DE POULE que tu prétendais être. Dans le labyrinthe des chiens !

— Non ! S'il vous plaît ! Non ! t'écries-tu.

C'est humiliant d'agir comme une poule mouillée, surtout devant Laurent. Mais tu dois absolument gagner du temps.

— Tout mais pas ça ! N'importe quoi ! dis-tu encore.

— Vraiment n'importe quoi ? demande le docteur Onk.

*Reviens à la PAGE 98.*

Tu rebrousses chemin en courant et te retrouves de nouveau devant la porte par laquelle tu étais arrivé. Mais elle est fermée à clé. Tu fonces dedans. Finalement, elle s'ouvre.

Et ta mère est là, de l'autre côté ! Tu sais que c'est bien elle, cette fois-ci. Le grain de beauté est du bon côté.

— Beau travail, dit-elle en te faisant un grand sourire et en t'entourant les épaules de son bras. Tu as compris. Ce n'était pas moi. C'était un hologramme de moi, que j'ai mis au point moi-même. Comment as-tu trouvé ça ?

Comment tu as trouvé ça ?

Quand ton cœur cesse de battre à tout rompre dans ta poitrine, tu finis par trouver ça pas mal ! Même que ta mère vous laisse jouer avec son appareil à holographier, Laurent et toi. Vous faites des reproductions holographiques de vous-mêmes et les laissez traîner partout dans le laboratoire.

C'est pour cette raison que, si tu ouvres ce livre à n'importe quelle page, tu te retrouveras dans les laboratoires du docteur Onk. Avec des paquets d'ennuis !

Pensais-tu vraiment que tu étais arrivé à la...

**FIN ?**

Tu jappes et tu jappes. Ta mère te sourit.

— André, je ne peux pas m'occuper de ces chiens, dit-elle. Je dois retrouver mon fils.

Et elle te donne de petites tapes sur la tête avant de te quitter. Évidemment, elle ne retrouvera jamais son fils, puisque tu as été changé en chien par le docteur Onk.

Mais, tu vas quand même retourner chez toi. Ta mère décide de t'adopter comme chien de compagnie ! Elle t'emmène à la maison et te donne tout plein de nourriture pour chien. De temps en temps, tu vas même dormir dans ton propre lit... mais seulement quand ta mère n'est pas à la maison. Parce que, quand elle est là, elle te fait descendre. Elle ne veut pas avoir de poils de chien sur le lit.

Le bon côté de ce dénouement, c'est que tu es un chien exceptionnellement intelligent. Parce que tu n'es pas vraiment un chien. Tu es un enfant !

Sans aucun effort, tu apprends à faire des finesses. Tu es capable d'aller chercher le chandail rouge avec des boutons bleus ; de trouver le monsieur avec une barbe noire, assis dans la quatrième rangée. Tu peux additionner quatre et sept, et compter sur tes pattes.

Bienvenue dans le merveilleux monde du spectacle !

Grâce au chien savant que tu es devenu, ta mère devient riche et célèbre. Elle part en tournée mondiale avec toi. Et tu es très heureux. Après tout, ce n'est pas si mal d'être le meilleur ami de sa mère, en...

**...FIN.**

Le docteur Onk a encore une main couverte d'un gant. Il se dirige vers toi. Puis retire un peu de pâte verte et molle de ta bouche.

— Voilà ! Tu disposes encore de deux minutes avant que la substance MPM remonte dans ta bouche et descende dans ta gorge, te dit-il en riant de façon sinistre. Bon. Qu'est-ce que tu disais ?

Tu respires un grand coup, avant de parler.

— Vous avez travaillé avec ma mère aux Laboratoires Onk, lui dis-tu. Jusqu'à ce que vous soyez renvoyé parce que vous êtes fou !

— Pas aux Laboratoires Onk, te corrige le docteur Onk. Aux Laboratoires Ong. O.N.G., pour Organisation néoscientifique générale. C'est vrai. J'ai été renvoyé. Alors, j'ai monté mon propre laboratoire... dans le même immeuble, mais un étage plus haut !

— Hein ? réponds-tu, pas tout à fait sûr d'avoir bien compris.

— Eh oui ! explique Herbert Wimpelmeyer d'un air méchant. Tu es tout simplement descendu de l'ascenseur au mauvais étage !

Tu regardes l'heure. Il ne te reste plus qu'une minute.

---

*Vite ! Reviens à la PAGE 21 avant de te faire étouffer par la pâte molle !*

— Super ! réponds-tu, sans arriver à y croire. Mais comment avez-vous fait pour arriver si vite ? demandes-tu encore au livreur. Je veux dire, j'ai entendu parler de livraison rapide en trente minutes. Mais, vous, vous êtes arrivé en trente secondes !

— Très simple, dit-il. La pizzeria est au rez-de-chaussée de l'immeuble !

Tu as envie de rire, mais tu n'en as pas le temps. Tu te précipites dans le couloir pour te sauver. Tu appuies très fort sur le bouton pour appeler l'ascenseur. Aussitôt, la porte s'ouvre… et ta mère en sort ! Elle te cherche partout, depuis plus d'une heure.

Quand tu lui racontes ce qui s'est passé, elle appelle immédiatement la police. Puis, elle court au bout du couloir, au secours de Laurent, qu'elle aide à sortir de la réalité virtuelle. Heureusement, elle ferme l'appareil juste à temps. Sinon, il se serait fait étouffer par un boa constricteur.

La police arrive une minute plus tard et emmène le docteur Onk.

— Ouf ! dis-tu à Laurent. On l'a échappé belle ! Mais, finalement, on s'en est tirés !

— Oui… je crois, murmure Laurent, songeur.

— Qu'est-ce que tu veux dire par « je crois » ? lui demandes-tu. On s'en est tirés. Et on n'a pas été changés en quelque chose d'effrayant, dans les Laboratoires Onk. Qu'est-ce que tu veux de plus ?

— Mes cinquante dollars ! répond Laurent, l'air idiot.

**FIN**

— C'est un rat géant ! t'écries-tu.

— Tu es sûr de ça ? chuchote Laurent. Un rat aussi gros que ça, ça se peut pas !

— Je sais pas, rétorques-tu. Mais je suis sûr que ça, c'est un rat.

Laurent et toi regardez le rat. Il est aussi grand que vous. Tu calcules qu'il doit peser plus de quarante-cinq kilos. Il vous dévisage de ses yeux globuleux. Ses longues moustaches bougent à cause du mouvement de ses mâchoires.

— Sortons d'ici ! cries-tu à Laurent.

Vous vous retournez tous les deux et vous dirigez vers le panneau coulissant.

BADABOUM !

Le rat géant fait un bond !

Il retombe devant vous. Ses griffes égratignent le plancher. Il vous bloque la sortie.

Tu regardes Laurent. Qu'est-ce que vous allez faire, maintenant ? Cet endroit est un cul-de-sac.

Le rat avance vers vous. Il est de plus en plus près.

Laurent et toi vous réfugiez dans un coin. Le rat géant s'approche encore. Il a la gueule grande ouverte.

— Zut ! murmures-tu. Je crois que c'est la...

**FIN.**

Tu essaies de ne pas t'énerver... même si le savant te dévisage toujours. Tu te présentes, de même que ton ami Laurent. Tu lui tends la main. Les adultes apprécient ce genre de politesse, généralement.

— Ah oui! répond l'homme en te serrant la main un peu trop fort. Je connais bien ta mère. Une chercheuse brillante.

Tu lui souris fièrement.

Le chimpanzé tire sur la manche du savant pour attirer son attention. Il lui fait aussi des signes avec les mains. Tu ne comprends pas ce qu'il essaie de dire, mais ça ressemble bien à une sorte de langage par signes.

L'homme hoche la tête, comme s'il avait compris.

— Je suis le professeur Yzark. Un des assistants du docteur Onk, dit l'homme. Je vois que vous connaissez déjà Oscar, ajoute-t-il en se tournant vers le singe. Est-ce que ça vous plairait de jeter un coup d'œil à ce que nous faisons?

Il vous conduit jusqu'à une paroi de verre. Vous regardez à l'intérieur.

— Oh! s'écrie Laurent.

---

*Pour en voir davantage, passe à la PAGE 53.*

Tu suis les chiens, et Laurent trottine à ta suite.

Dans le labyrinthe des chiens. À gauche. À droite. À gauche. Encore à gauche. Tu tournes une dizaine de fois. Est-ce que tu vas arriver à sortir de là, un jour? te demandes-tu.

La meute est à environ six mètres devant toi. Soudain tu t'arrêtes de marcher. Il y a une grande affiche là-haut, sur le mur. C'est écrit SORTIE DE SECOURS en grosses lettres rouges. Sous l'affiche, il y a un bouton rouge sous lequel c'est inscrit APPUYER ICI.

Mais il y a un problème: le bouton est trop haut et tu ne peux pas l'atteindre. Il est à un mètre vingt-cinq du sol. Tu te mets à sauter pour tenter d'appuyer sur le bouton avec ton museau.

Vas-tu y arriver? Voici la règle. Les humains qui ont été changés en chiens ne peuvent pas sauter à une hauteur supérieure à la taille qu'ils avaient quand ils étaient des humains.

---

*Si tu mesures un mètre vingt-cinq ou plus, reviens à la PAGE 92.*

*Si tu mesures moins de un mètre vingt-cinq, reviens à la PAGE 61.*

— Vous n'êtes pas ma mère ! t'écries-tu en montrant du doigt la femme qui est devant toi. Vous êtes un clone... ou... quelque chose comme ça !

La femme qui est devant toi ressemble très exactement à ta mère... à un petit détail près. Elle a un grain de beauté sur la joue droite. Et c'est sur la joue gauche que ta mère a un grain de beauté !

Elle te lance un sourire de défi.

— Tu as gagné, mon petit, dit-elle. Tu as vu juste. Je ne suis pas ta mère.

— Qu'est-ce qu'elle raconte ? demande Laurent.

— Laisse faire, lui réponds-tu. C'est un piège ! Sortons d'ici ! Vite ! Cours !

---

*Cours le plus vite que tu peux à la PAGE 117.*

Tu t'arrêtes dans ton élan et tu jettes au docteur Onk un regard fulgurant.

— Comment nous sommes entrés ici ? répètes-tu en imitant le ton de ce dernier. Mais, ma mère travaille pour vous... espèce de débile !

— Ta mère ? demande le docteur Onk, avec ce sourire tordu qui lui revient aux lèvres.

— Oui, dis-tu. Mais pas pour longtemps encore. Parce que je suis sûr qu'elle va vous lâcher quand elle va apprendre ce que vous avez essayé de nous faire.

— Ta mère ? demande encore une fois le docteur Onk en te regardant d'un air sarcastique. Dis-moi, mon garçon, quel est son nom ?

Tu le lui dis et il se met à rire. Il rit tellement fort que son œil si bizarre se met à tressauter. Il a l'air d'une monstrueuse marionnette.

Finalement, il cesse de rire. Il prend un air terriblement sérieux.

— J'ai bien peur que tu ne revoies plus jamais ta mère, répond-il en ricanant et en te jetant un regard menaçant.

« Oh non ! » te dis-tu.

— Qu'est-ce que vous avez fait à ma mère ? cries-tu.

---

*Découvre-le à la PAGE 36.*

OUAH!

C'est toi qui jappes comme ça.

Ton petit cœur de chien bat à toute vitesse. Tu cours dans le couloir à la rencontre des autres chiens qui arrivent. Tu vas passer à l'attaque!

OUAH! OUAH! OUAH!

Ils foncent sur toi en jappant férocement.

Tu es terrifié, mais tu essaies de le cacher. Tu jappes le plus fort que tu peux et cours vers l'endroit où le couloir tourne. En te plantant à cet endroit, tu auras l'air de protéger ton territoire. Ça les arrêtera peut-être. Mais peut-être pas. De toute manière, c'est la seule solution.

Laurent te rejoint et jappe de façon menaçante, lui aussi. Soudain, les chiens tournent le coin. Ils montrent les crocs. Ils courent. Ils attaquent.

Comme si rien ne pouvait les arrêter...

Jusqu'à ce qu'ils te voient.

Tu retrousses les babines pour leur montrer tes dents pointues comme des poignards. Tu poses la patte fermement sur le sol. Tu émets un long grognement féroce, plein de menace.

GRRRRR!

---

*À la PAGE 46, continue de grogner.*

# 127

Heureusement, tu as le sifflet argenté. Tu arriveras peut-être à te tirer de là !

Les bergers allemands sautent sur toi.

Le chef de la meute est si grand que, lorsqu'il jappe, tu peux sentir la chaleur de son haleine sur ton visage. Soudain, un de ses grands crocs s'accroche dans l'encolure de ton tee-shirt et t'égratigne la gorge au passage !

Mais tu restes calme.

Le plus vite que tu peux le faire (ce qui est pas mal rapide, car tu as d'excellents réflexes à force d'avoir joué pendant des années à des jeux électroniques), tu plonges la main dans ta poche et tu en retires le sifflet.

Tu souffles dedans le plus fort que tu peux.

Il n'arrive rien.

Pas un son n'en sort. Rien, rien rien !

Alors, qu'est-ce que tu vas faire ?

---

*À la PAGE 66, fais face à ton destin.*

Ton cœur bat très fort dans ta poitrine. Il faut que tu trouves l'antidote. Les secondes s'écoulent vite !

Tu ouvres les tiroirs du laboratoire les uns après les autres.

— ... seize, dix-sept, dix-huit..., dit le docteur Onk.

Maintenant, il joue avec tes nerfs en s'amusant à compter plus lentement. Il a toujours les yeux fermés.

Aucun des tiroirs ne contient quelque chose qui ressemble de près ou de loin à un antidote efficace contre la pâte molle. Et c'est si long de les ouvrir. Tes mains gluantes collent à tout ce que tu touches.

Puis tu vois dans le dernier tiroir un pot rempli d'un produit rouge et collant.

Serait-ce l'antidote ?

— Vingt ! s'écrie le docteur Onk en ouvrant les yeux.

Tu n'attends pas une seconde de plus. Tu ouvres le pot, plonges ta main couverte de pâte verte et molle dans le produit rouge et en ressors une pleine poignée.

Ça dégage une odeur de sucre. Tu t'en mets dans la bouche.

— Ha, ha, ha ! s'esclaffe le docteur Onk. Tu penses que ça va changer quelque chose ? Tu es en train de déguster de la confiture de fraises !

Oh non ! Il a raison.

Et, sais-tu quoi ? Tu es allergique aux fraises !

---

*À la PAGE 48, tu fais de l'urticaire.*

Tous tes instincts te dictent de te CACHER ! Et le bureau du docteur Onk semble être encore le meilleur endroit.

Tu aperçois, de l'autre côté de la salle d'opération, un bureau avec une grande baie vitrée.

Avec une affiche sur la porte, où on peut lire BUREAU DU DOCTEUR ONK. DÉFENSE D'ENTRER !

— Il faut que je me cache ! dis-tu à la créature mi-garçon, mi-chien.

— Non ! Ne te cache pas, te répond le garçon. Cours ! Et prends ça avec toi.

D'un mouvement de poignet, il te lance un sifflet argenté.

— Ça te permettra d'empêcher les chiens d'approcher, t'explique-t-il.

Tu te diriges vers la porte. Mais le bruit de pas est tout près, de l'autre côté.

Oh, oh ! Tu dois encore prendre une décision rapidement.

---

*Si tu décides d'écouter le garçon, reviens à la PAGE 112.*

*Si tu crois qu'il est préférable de revenir dans la salle et de te cacher dans le bureau du docteur Onk, reviens à la PAGE 34.*

Avec précaution, tu continues d'avancer tout droit dans le labyrinthe. Laurent et toi marchez côte à côte. Mais le couloir est si étroit que c'est tout juste si vous y arrivez.

— Hé, arrête de me pousser, te dit Laurent, un peu fâché, en te donnant un coup d'épaule.

— Je t'ai pas poussé, lui réponds-tu. Arrête de me pousser, toi.

— Aïe ! fait Laurent en se cognant contre le mur.

Oh, oh ! Tu comprends tout d'un coup. Le couloir rétrécit graduellement. En effet, tu regardes devant toi, et il a l'air de rétrécir jusqu'à ne former qu'une toute petite pointe. Comme si les murs se rejoignaient, au bout.

— On devrait peut-être retourner sur nos pas, suggère Laurent. C'est un cul-de-sac.

Un cul-de-sac ? Ta gorge se serre juste à y penser.

Tu regardes derrière toi pour voir s'il y a quelqu'un… ou quelque chose.

Cette odeur de chien est de plus en plus forte.

Qu'est-ce que tu veux faire ?

---

*À la PAGE 62, tu te rends jusqu'au fond du couloir, là où les murs se rejoignent.*

*Tu rebrousses chemin et reviens à la bifurcation, à la PAGE 87.*

# UN MOT SUR L'AUTEUR

R.L. Stine a écrit une bonne quarantaine de livres à suspense pour les jeunes, qui ont tous connu un grand succès de librairie. Parmi les plus récents, citons : *La gardienne IV, Le fantôme de la falaise, Cauchemar sur l'autoroute, Rendez-vous à l'halloween, Un jeu dangereux.*

De plus, il est l'auteur de tous les livres publiés dans la populaire collection *Chair de poule.*

R.L. Stine vit à New York avec son épouse, Jane, et leur fils, Matt.

# DÉJÀ PARU

## N° 1

## LA FOIRE AUX HORREURS

Un soir, tes amis et toi décidez de visiter le champ où l'on s'affaire à ériger manèges et baraques en prévision de la foire annuelle. L'endroit a quelque chose d'étrange. Des torches brûlent un peu partout et une musique sinistre s'échappe de la grande tente.

Vous rencontrez le grand Zotron, qui dirige la fête foraine. Il vous invite à faire l'essai des manèges.

Choisiras-tu de te lancer à l'assaut des montagnes russes intergalactiques, de visiter la ferme reptilienne, de naviguer sur le marais malsain ou d'affronter la femme serpent?

La décision t'appartient.

# DÉJÀ PARU

## N° 2

## TIC TOC, BIENVENUE EN ENFER !

Ennuyeuses ! Voilà comment tu décrirais tes vacances en famille à New York. Au lieu de visiter des endroits intéressants comme l'Empire State Building ou la statue de la Liberté, tes parents t'entraînent dans un tas de musées stupides.

Tu te retrouves impliqué accidentellement dans une expérience qui te fait explorer le temps !

Vas-tu affronter en duel des chevaliers du Moyen-Âge, combattre un dinosaure carnivore ou voyager dans une navette spatiale ?

La décision t'appartient.

# DÉJÀ PARU

## N° 3

## LE MANOIR DE LA CHAUVE-SOURIS

Fréquenter une nouvelle école, ce n'est pas drôle. Tu avais des tas d'amis dans ton ancienne école, mais c'est tout différent maintenant... Heureusement, tu rencontres Nicolas qui te demande de faire partie du club des horreurs.

Ce club se réunit dans une vieille maison qui porte le nom de Manoir de la chauve-souris. Le manoir est sombre, étrange, effrayant. C'est là que ton aventure commence.

Les membres du club entament une chasse au trésor. Si tu te joins à l'équipe des Rouges, tu découvriras la vérité sur tes nouveaux amis : ce sont des monstres ! Si tu te joins à l'équipe des Bleus, tu deviens une chauve-souris.

La décision t'appartient.